우리들의 글감

2023’ 우리들의 글감 맘꽃피다.

발 행 | 2023년 12월 12일
저 자 | 글감 동아리 공저 김현정(묘각덕), 백순주(S J 쑨),
유진희(빛날지니), 허애란(애란愛), 후지타아이(CALLIあい) 황인숙(RuahCalli)
엮은이 | 유진희(빛날지니) jh28272@gmail.com
펴낸이 | 한건희
펴낸곳 | 주식회사 부크크
출판사등록 | 2014.07.15(제2014-16호)
주 소 | 서울특별시 금천구 가산디지털1로 119 SK트윈타워 A동 305호
전 화 | 1670-8316
이메일 | info@bookk.co.kr

ISBN | 979-11-410-5921-7

www.bookk.co.kr

폰트 부크크 명조 부크크고딕 캔바 사이트 내 무료폰트 사용

우리들의 글감

-1 년 동안 함께한 멤버들 모두에게 좋은 경험이었기를 --
-아울러 시작이 어려운 모든 이들에게, 작은 용기가 되어줄 책이기를 -
잘해서 시작하는 것이 아니라, 하다 보니, 나도 무언가를 할 줄 알게 되어 있더라, 나도 누군가에게 나눌 수 있는 사람이 되어 있더라, 하다 보니 즐겁더라, 혼자 있는 것보다 같이 즐겁게 하고 있더라, 를 알게 되었다는 것입니다.

누구에게는 잘하니까 해낼 수 밖에 없는 것처럼 보이겠지요. 못하는 나는 해낼 수 없는 것처럼 느껴질 수 있습니다. 그러나 해보니 그렇지 않았습니다. 잘하니까 해낼 수 있는 것이 아니라, 끝까지 해내고 보니, 대견스럽게도 해내었더라. 그러니 여러분도 해낼 수 있을 거라는 말을 전할 수 있게 되었다는 이 기쁜 마음을 가볍게 넘기지 말아주세요. (얼마나 큰 팁을 드리는 마음으로 전하는지, 이 큰 마음을 아신다면.)

용기가 없어서 시작을 못하든, 이해타산이 안 맞든 수지타산이 안 맞든, 내 계산이 맞지 않아 시작을 못하는 사람이 있다면, 고민하고 시간을 낭비하는 시간에 손해를 보더라도 삶을 즐기는 쪽을 택하라고 말해주고 싶네요. 그럼 즐겁기라도 하지 않을까요? 뭐든 즐겁게 한다면 두려울 게 있을까요? 손해를 본다 한들 도서관에서 배움에 관한 이 도전에 손해 볼게 있을 리가 있나요? 용기가 필요한 일에? 돈이 되지 않는 일에? 경험만으로 가치 있는 일만으로 충분하지 않을까요? 생각만하다 못하는 것보다는 나올 수 있는 작은 용기만으로 문을 두드려보세요. 뭐든 당신의 생각보다 어렵지 않습니다. 여러분도 시작 할 수 있어요. 시작이 반입니다.

어떤 이유로든 아직도 시작이 어려운 당신에게.

먼저 뛰고 기다리다 나자빠지기를,
그런데 또 그렇게 생겨먹어서 일 벌려야 직성이 풀리는 특기인,
그러다 또 나자빠져서 마지막 원고라며.. 마무리를 계속 못하고 있는…

글을 합치다 못내 아쉬운 빛날지니

시작은 말로 하는 것이 아니라, 움직이는 것이다.
함께하겠다는 것은 함께 주인의식을 갖겠다는 것이다.
주인의식을 갖고 함께 움직일 때 비로소 진정한 공동체가 된다
- 유진희 -

CONTENT
LIST

앙꽃피다
우리들의 글감

김현정 에세이

With 묘각덕

DREAM AS IF YOU'LL LIVE FOREVER. LIVE AS IF YOU'LL DIE TODAY. -JAMES DEAN

LIIT'S LACK OF FAITH THAT MAKES PEOPLE AFRAID OF MEETING CHALLENGES, AND I BELIEVE IN MYSELF.

A MAN TRAVELS THE WORLD OVER IN SEARCH OF WHAT HE NEEDS AND RETURNS HOME TO FIND IT. -GEORGE MOORE

Reception to Follow

아무튼, 캘리그라피

MYOGAK.CALLI

김현정 (묘각덕)

첫 페이지를 시작하며...

누구든지 책을 읽고 나면 마음에 드는 글귀나 좋은 말들을 참고하기 위해 종이에 적어두기 마련이다. 나 역시 메모하는 습관이 있다. 하지만 메모하고 난 후 다시 메모한 걸 꺼내보는 일은 많지 않았다.

메모가 메모로써 끝났다고 정리가 된다. 내 삶에 영향력을 주려고 좋은 엄마가 되려고, 나의 자존감을 올리려고, 피로에서 벗어나 회복하려고, 좋은 글귀를 책에서 찾아 메모해 두는 습관이 있었지만 단순히 메모만 하는 행동들이 오래 기억하고 유지 되기 보다는 단순 기억에서 단순 메모로 없어진다는 걸 알게 되었다. 어느 때는 휴대폰에 기록하고 저장해 둔 적도 있다. 다시 볼까? 라고 생각했지만 휴대폰에 적은 것조차도 꺼내보지 않게 되었다.

작은 도서관 캘리그래피 성인 강좌를 통해 손글씨를 배웠고 감정을 담아 생동감 있게 한글을 쓰는 것도 내용에 맞는 수채화 그림을 그리는 것도 너무나 좋았다. 순수한 색의 명도와 채도를 보면서 나는 점차 컬러테라피로써 힐링 되었다.

삶을 지지하고 응원하는 모든 문구들이 나를 향한 말과 같았다. 내가 듣고 싶은 말, 내가 상대방에게 해주고 싶은 문구를 연습해 보면서 집중했다. 이렇게 캘리그래피의 매력에 빠졌고 책을 가까이하고 도서관에 자주 드나들면서 독서활동과 활동과 함께 시작하여 2022. 10 월 글감 동아리 초대 회장으로 책임감을 갖고 동아리 활동을 시작하게 되었다.

습작의 시작

• 수채화물감

캘리그라피에 대한 애정이 있는 만큼 다양한 도구들을 구매하고 또 다양하게 도구를 찾아보게 되는 입문자가 되었다. 습작의 시작과 함께 전문가용 수채화 물감과 다양한 수성펜의 색상에 매료되어 수성펜을 세트로 구매하고 물 붓을 활용한 수성펜 수채화 기법을 연습했다. 아이들이 책을 자주 접하는 환경을 만들기 위해 갔었던 도서관이었는데 이젠 나를 위한 도서를 대출하러 간다

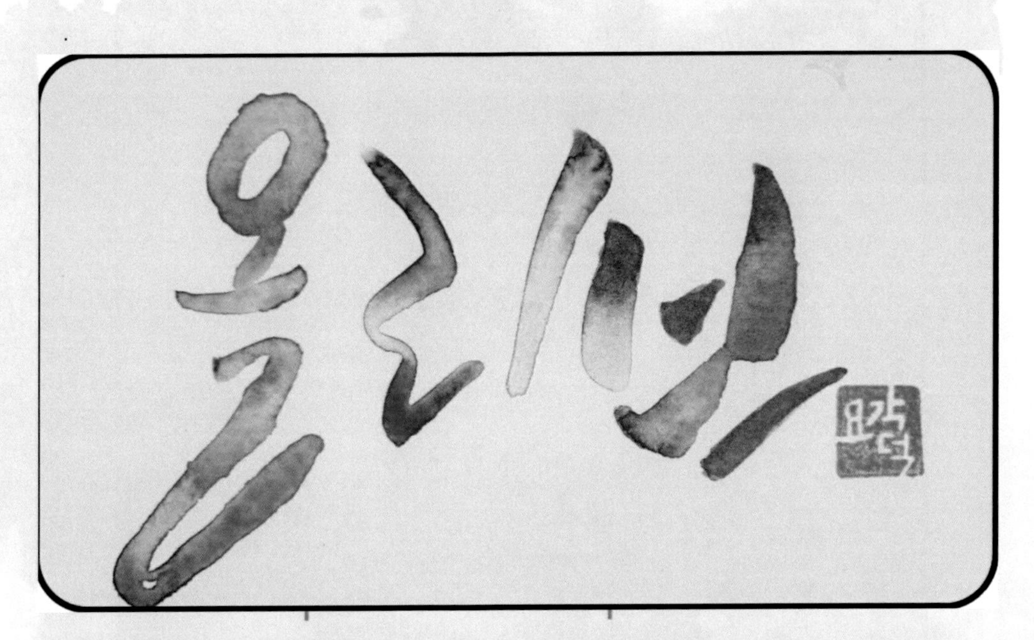

베스트셀러 또는 관심 있는 분야에 책을 빌려 좋은 글귀를 찾고 손글씨를 천천히 써보고 앞으로 쓸 내용들을 미리미리 찾아서 메모해 두기도 했다. 소장하고 싶은 책들은 구매해서 집에 두고 대출 기한에 촉박하지 않게 읽어 보곤 했다. 이렇게 나에게 도서관은 자연스럽게 습작을 시작하게 도움을 주었다.

수성펜 수채화는 그림을 그리는 것보다 물 번짐이 만들어내는 색의 어울림이 가히 창조적이었다. 어릴 적 수성펜은 잘 번져서 필기도구로 적절하지 않았다. 그런데 이렇게 아름다운 수채화를 완성할 수 있다니 뒤늦게 수성펜의 기능이 놀라웠다.

- 붓펜 , G펜촉, 수성펜

피그먼트 펜을 활용하여 드로잉 기법으로 밑그림을 그렸고 그 위에 수성펜을 활용하여 채색했다. 펜촉으로 연습하던 시기에 쓴 손 글씨라서 서툴다. 손글씨나 그림에는 진정한 습작이나 내용에 적힌 김수환 추기경의 말씀을 기억하기 위해 손 글씨로 옮겨 둔 작품이다.

꽃 길을 주제로 만든 작품으로 삶을 살아가면서 사람에게 의지하기보다는 자기 스스로를 의지하며 위로하고 살아가는 정체성이 필요하다고 생각한다.

피톤치드를 생각해보자.

피톤치드를 내뿜는 나무는 스스로를 치유하고 지켜내려는 작용이기 때문이다.

"꽃 길을 걸어 너를 만나면 안아주고 싶다"

이 문구를 쓴 이유는 내가 나를 안아주어 지친 마음을 위로해 주기 위함이다.

다이컷 기계로 꽃줄기와 꽃잎을 만들었다.

자유롭고 풍성한 꽃 길을 입체적으로 보이도록 노력하여 만들었다.

백드롭을 활용한 작품이다.

질감 표현은 나이프로 꽃, 줄기, 잎에 흐르듯이 고민하지 않고 재빠르게 표현했다. 바탕색으로 노란색을 얇게 펴 발랐고 그 위에 잎을 표현할 때는 바탕색 노란빛이 살짝살짝 올라오도록 했다. 줄기와 잎이 율동감 있어 보이도록 했다. 가운데 부분은 마스킹 테이프로 막아서 네모 공간을 확보한 후 붓 펜을 사용한 "꽃을 보듯 너를 본다" 를 작성해 보았다. 나태주 시인의 시집을 읽고 글귀를 옮겨 보았다.

붓 펜, 펜촉 등 펜들의 특징을 살리고 필압감이 잘 나와주는 도구를 주로 쓰게 된다. 캘리그라피 용지로 띤또레또 300g 용지에 수채화도 올리고 여러 펜촉이나 붓 펜으로 캘리를 작성하기도 하지만 가을 낙엽을 주워다가 부드러운 붓 펜으로 빠르게 손글씨를 써보았다. 가을빛에 물든 계절도 떨어지는 낙엽에 캘리그라피를 쓰다 보니 가을 감성을 느낄 수 있다.

"Tea book" 주제로 선정된 도서

[커피가 사라지기 전에]를 읽고 활동한 작품이다.

커피를 추출하는 도구와 더치 커피가 만들어지는 장면을 상상하면서 피그먼트 펜으로 밑그림을 그리고 추출된 커피는 수성펜 수채화로 완성하였다.

그림을 그려 놓고도, 글감이 떠오르지 않아 찾아보던 중, 사람을 연결하고 공동체를 결성하는 힘이라는 前 스타벅스 회장의 글이 마음에 와 닿았다

커피를 음미하는 행위에는 사람들을 연결하고
공동체를 결성하는 힘이 있다.
그 놀라운 매력에 나는 매료되었다."

-스타벅스 前 최고경영자 하워드 슐츠-

문집을 마무리 하며...

도서관에서 진행한 캘리그라피 강좌 10회기 수강하는 것을 시작으로 종강할 때쯤 너무나 아쉬워 학습 동아리로써 활동하게 된 글감 동아리. 캘리그라피 수업이 정규 강좌였으면 좋겠다고 생각만 했는데 연습하고 서로 알고 있는 기법이나 방법을 회원들에게 알려주고 추천할 책, 유튜브 영상 및 도구 등 각자의 정보를 공유하고 추천도 해주는 동아리 모임이 만들어져서 서로가 상생하는 활동을 해나갔다. 작은 도서관에서 모여 2주에 한 번씩 손 글씨를 연습하고 책을 읽고 좋은 글귀를 찾고 또 동아리 회원들은 정해진 순번대로 책을 선정하고 도서를 추천하는 활동으로 느낀 점은 좋은 글귀를 발췌 하는 것도 사람마다 관점에 따라 다르다는 것과 소통에 있어서 배울 점이 많았다. 독서 동아리 "글감"활동이 도서관을 활성화하고 지역 주민 간의 소통과 만남을 자연스럽게 이어가고 연대감을 느끼게 되었다.

글감 동아리는 양주시에서 선정한 올해의 책을 북크로싱 활동으로 읽어본 후 좋은 글귀나 자신만의 느낀 점을 자신만의 캘리그라피로 성과물을 만들어 내고 있다. 지역 주민과 함께 자기 효능감을 획득하고 개인의 바쁜 일상 속에서도 캘리그라피 활동에 집중하고 있다. 취미 생활의 긍정적인 에너지를 받고 있으며 양주시에서 독서동아리 지방보조금 사업에 참여하게 되어 이처럼 문집 활동으로 올해를 뿌듯하게 마무리 짓게 되었음을 감사한다.

암꽃피다
우리들의 글감

백순주 에세이

With SJ쑨

THE SUPERIOR MAN IS MODEST IN HIS SPEECH, BUT EXCELS IN HIS ACTIONS.

IT IS NOT GIVING CHILDREN MORE THAT SPOILS THEM; IT IS GIVING THEM MORE TO AVOID CONFRONTATION.

WHILE YOU ARE NOT ABLE TO SERVE MEN, HOW CAN YOU SERVE SPIRITS [OF THE DEAD]?...WHILE YOU DO NOT KNOW LIFE, HOW CAN YOU KNOW ABOUT DEATH?

Reception to Follow

다양한 도구에 빠지다

여전히 새로운 문구류를 보면 설레는 나는 30대 두아이의엄마 ✷ 알수록 매력적인 캘리그라피

백순주 (SJ쑨)

그림이 어려운 캘리 초보의 캘리 입문기
다양한 도구들로 연습해 본 캘리 글씨 연습기

[꽃디자인출처-핀터레스트 i.pining.com)

PORTFOLIO
CALLIGRAPHY

2. 수채화물감. 붓
PHOTOGRAPHER

수채화
물감과
일반붓
사용은

수성펜
워터
브러쉬
보다

색
표현이
더 잘
되지만

물감
양
조절
연습을
많이
필요로
한다.

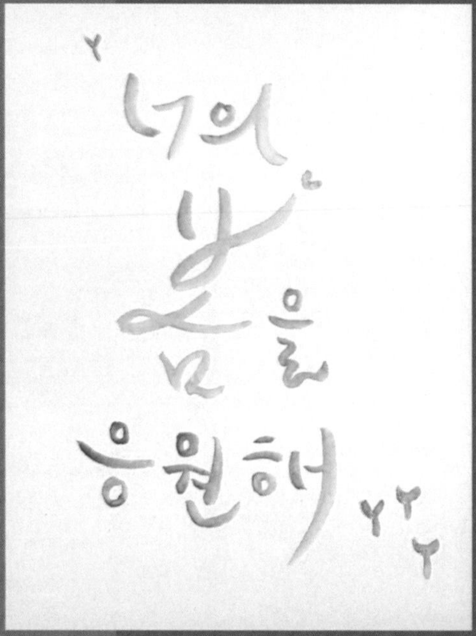

너의
봄을
응원해

디자인출처-네이버블로그)

3. 펜텔 듀얼 메탈릭 브러쉬

컬러에 펄이 섞인 붓펜인데 뒤를 꾹 누를때마다 물펜처럼 잉크가 흘러내려온다

색이 굉장히 진해서 신비하고 고급진 글씨를 표현하기에 좋은도구다.

(디자인출처-깊은밤마법열차 그림책표지)

4.붓펜+플러스펜

봄날의 화사한 꽃도 당신보다 곱지는 못해

캘리를 처음시작할 때 자주쓰는 조합으로

수채화를 대체할 수 있는 수성펜인 플러스펜.

주로 그림에 많이 사용되고 물펜만 있으면 휴대가 간편하다는 장점이 있고 방법에 따라

배경에도 글씨로도 쓸 수있다. 하지만 수채화보다는 색 조절이나 모양연습이 더 까다로웠고

진한색표현이 어려웠다.

(디자인출처-네이버)

5.딥펜(펜촉)

5월 초하루 거룩한 햇볕이 비치기 시작하는 것을 보고,

복사나무 가지 위 꽃그늘에서 온갖 새들이

일제히 5월 노래를 부르기 시작했습니다

그러니까 거기 맞춰서 나비들이 춤을 너울너울 추기 시작했습니다

모든 것이 즐거움을 이기지 못하고 덩실덩실 춤을 추었습니다

잔디풀, 버들잎 가지도 우쭐우쭐 하였습니다

... 5월 초하루는 참말 새 세상이 열리는

첫날이었습니다 ...

- 방정환 '4월 그믐날 밤' -

힘조절하는게 어색하고 낯설었지만

사각사각하는 느낌이 좋고, 긴 글귀를 멋있게

쓰기 좋은 도구이다.

6. 캘리그라피 트윈펜(다이소)

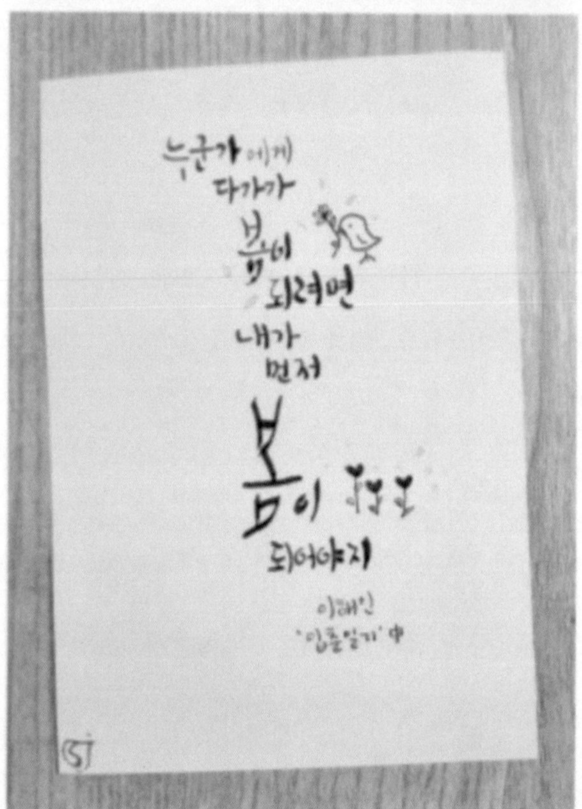

다이소에도 다양한 펜들이 많았는데

캘리초보가 연습용으로 쓰기에 좋은 펜이었다.

한쪽은 붓펜, 한쪽은 형광펜같이 딱딱한펜이라

굵기조절을 다양하게 연습할 수 있다.

(디자인출처-@jeju_callilove)

save the date

2023

7. 체인지데코펜(다이소)

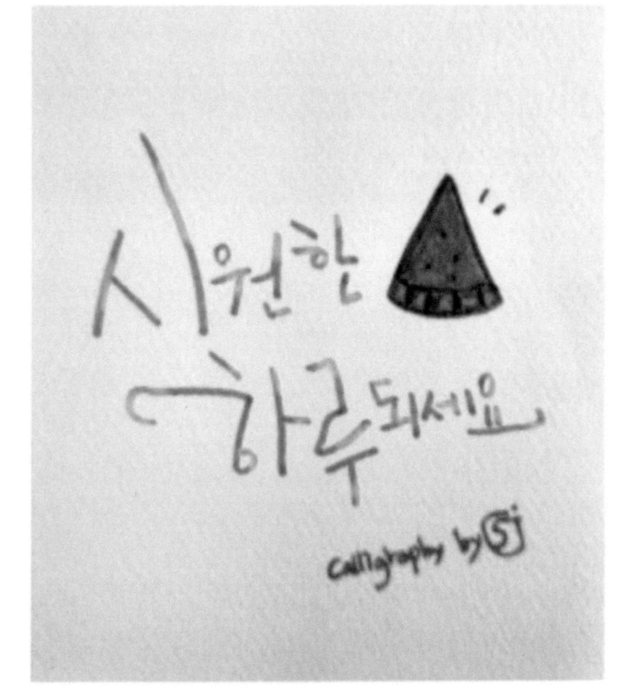

색이 있는 부분으로 글씨를 쓰고

흰 부분으로 덧칠하면 원본색에 따라 다양하게

색변화를 줄 수 있다.

글씨체에 따라 예쁜글씨표현이 가능하다.

(디자인출처-네이버)

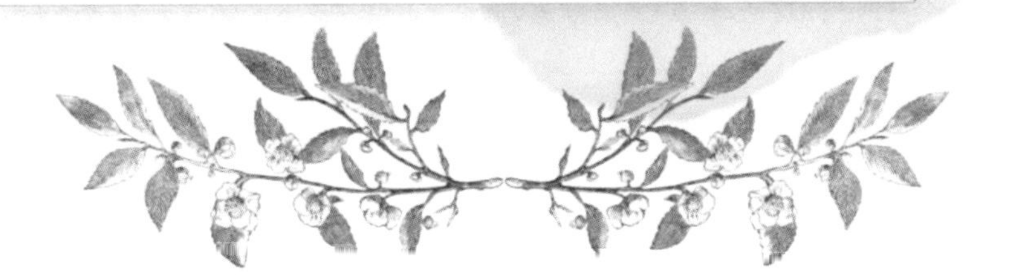

8. 듀얼라인펜(실버/골드)

"아직 몰랐니? 너희 꼭 닮았는 걸
너무 뜨겁지도 않고,
너무 차갑지도 않고,
한결같이 상냥한 계절"
- 가을에게, 봄에게

"아직 몰랐니? 너희 꼭 닮았는 걸
너무 뜨겁지도 않고,
너무 차갑지도 않고,
한결같이 상냥한 계절."
- 가을에게, 봄에게

실버펄과 골드펄이 섞이 마카펜이다 .
그대로 글씨를 써도 예쁘지만
부분 부분 펄을 지워도
예쁜 글씨 표현이 가능하다

9. 피그먼트라이너 1.2

"오늘 나의 결과가 생각에 미치지 못했다고
서둘러 자책하지 마아요
오늘한 결정을 무엇으로든 남겼다가
며칠있다가 꺼내보세요.
더 좋은 해안이 생겼다면
며칠사이 나는 성장한 것이고,
더 좋은 방법이 없었다면
최선을 다 했던거에요."

다양한 굵기로 나온 피그먼트펜

물에 잘 번지지않아서 얇은펜은

수채화나 플러스펜과 같이 사용된다

둥근촉이라 부드러운 글씨를 쓸 수 있다.

♡아직 배우는 단계라 기존 디자인을 많이 참고하여 연습 중입니다.
부족한 설명이지만 느낀 그대로 써보니 펜을 쓰실 분들에게
조금이나마 도움이 되길 바랍니다

암꽃피다
우리들의 글감

유진희 에세이

With 빛날지니

THEY MUST OFTEN CHANGE WHO WOULD BE CONSTANT IN HAPPINESS OR WISDOM

ALWAYS BEAR IN MIND THAT YOUR OWN RESOLUTION TO SUCCEED IS MORE IMPORTANT THAN ANY ONE THING.

ALWAYS BEAR IN MIND THAT YOUR OWN RESOLUTION TO SUCCEED IS MORE IMPORTANT THAN ANY ONE THING.

Reception to Follow

아이말노트. 작품이 되다

오랫동안 꿈을 그리는 사람은 마침내 그 꿈을 닮아 간다. ✷ 흘려보내기 아쉬운 말들

유진희 (빛날지니)

“어쩌다 그림책

누구나 아이를 낳고 나서야 엄마의 길로 들어선다. 나 역시, 아이를 두 팔 가득 안고, 따스한 체온 함께 나누고 나서야 내 아이가 맞구나, 이 조그만 작디 작은 아이를 위해 내 모든 것을 내어주고 싶다는 모성애가 폭발하듯 쏟아내어 지고 싶어질 때 비로소 그림책을 만났다.

“경험쌓기

많은 경험치는 그 어떤 지식 습득보다 단단하다. 나는 아이가 세상 밖에서 직접 보고 듣고 만지고 느끼며 많은 경험을 하길 바란다. 밖에서 웃고 뛰놀며 만지고 던지고 이거 뭐야? 저거 뭐야? 소통 하고 우와 우엑! 예쁘다 싫어~ 직접 반응 할 줄는 아이로 자라나길, 그런 아이를 보는 것 만으로도 행복했다.

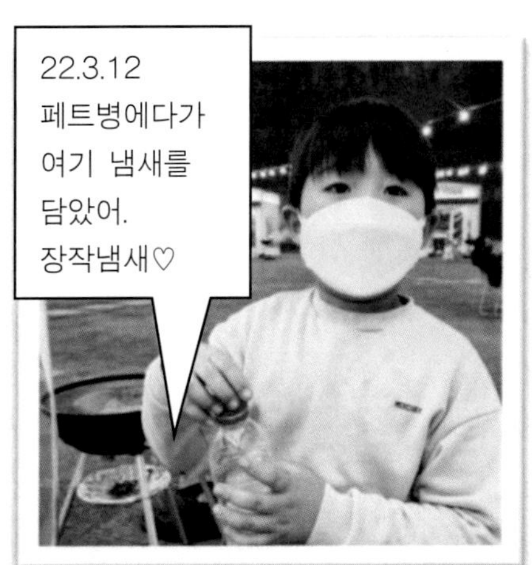

예쁜 걸 보고 싶으면 보여주고 싶은 게 사랑이라고 하고, 맛있는 게 있으면 같이 먹고 싶은 게 사랑이라고 하지 않던가? 부모이기에 본능적으로 알던 모르던 내가 좋은 곳이면 데려갔고, 맛있는 곳이면 먹으러 갔고, 예쁜 곳이면 같이 보러 갔다. 그렇게 밖으로 나가야 하는 엄마 성향 덕분에 많은 경험을 쌓기 위해 집보다는 밖으로, 더 많은 것을 보기 위해 나갈 수 있는 날이면 언제든 아빠가 없는 날이라도 밖으로 나갔던 것 같다.

그럼에도 불구하고 나가지 못하는 날이 있다. 날씨가 도와주지 않는 날, 혹은 상황이 여의치 않는 날, 아이가 컨디션이 좋지 않는 날 뭐 그런 날들 말이다. 그런 날은 꼭 그림책 세상으로 떠났다. 어디서든 우리는 추억을 쌓아야 했으니까.

재잘재잘 떠들어대는 그 예쁜 말을 무슨 말이든 받아주어야 했으니까. 늘 대화거리가 필요했다. 의미 없이 떠들어대기보다, 그림책 한 권이면 한 두 시간은 훌쩍 떠들어댈 수 있었다. 비가 억수같이 쏟아지는 날에도, 우린 집안에 같이 누워서도 해가 드리운 그림책 세상으로 들어가 짹짹 대는 새보다 더 재잘거리며 숲 속을 거닐었고, 강도 건너고 산도 오르고 바람도 맞으며 정상에 올라 종이비행기를 백 번쯤 날리고서야 끝이 나는 그런 여행, 지금 생각하면 그때 나는, 지금은 해낼 자신이 없을 만큼 참 대단했다. 둘째에게는. 애석하게도 미안하게도 그렇게까지 해주지 못하는 것이 사실이니까, 체력도 정신력도 시간도 따라주지 않는걸.. 그러나 괜찮다. 훌륭하게 잘 커버린 첫째 아들 녀석은 시키지 않아도 레너드가 되어 자바자바 정글로 둘째 아들녀석을 소환해서 이미 떠나고 없다. 엄마 아빠는 유리병에 있지만 두 녀석은 안방에서 이미 정글로 떠나고 없다. 부모 몫까지 톡톡히 해주고 있는 겨우 9살 밖에 되지 않았지만 그 아들 덕에 오늘도 엄마는 그림책 공부와 엄마 일도 열심히 하고 있는 복 받은 엄마다. 그리고 아이들은 오늘도 열심히 알아서 그림책도 보고 주말이면 아빠에게 청하고, 평일 밤이면 자신이 누려야 할 시간임을 알고 그제야 챙겨온다. 그렇다. 그림책은 혼자 보는 책이 아니다. 실은 읽어주어야 더 잘 보이는 책이 맞다. 오늘 밤은 엄마 차례니까.

"엄마 이거 읽어줘"

3.16 (형아 따라 말하기 놀이중)

하윤:하민이 미워
하민:하민이 미워
하윤:하민아 하민이는 너야.
'하민이'는 따라하면 안되지.
하민이가 하민이를 안사랑한다는건
엄마 아빠 형아를 안사랑한다는 뜻이야.
하민: 다 사랑해~
하윤: 그럼 하민이는 형아를 더 사랑해?
하민이를 더 사랑해?
하민 : 형아 사랑해
하윤: 허~~! 하민이는 형아보다 하민이
자신을 제일 사랑해야해. 알았지?

“그림책세상

그림책 소통을 하다 보면 자연스레 알게 되는 것이 있다. 그림책 한 권으로 아이와 모든 대화를 이어나갈 수 있다는 것, 그래서 우리는 집에 있을 땐 그림책 한 권을 펼쳐두고도 하루 종일 이야기를 주고 받을 수 있었다. 둘이 껴안고 뒹굴 뒹굴 그리고 또 펼쳐보고 또 껴안고 뒹굴 뒹굴, 앞서 말했듯 몸만 집안에서 뒹굴 뒹굴 굴러다니며 아이와 나는 이미 마음의 날개를 달고 그림책 세상으로 떠난 채 추억을 쌓는 중이었던 것이다.

“어머 하윤이는 **대디맨** 같아.” “하민이에게 **하품이가** 왔나봐!”

비유를 하더라도 그림책 속 비유가 통하고, 아이와 엄마만 아는 시그널이 생긴다. 그림책을 같이 보았기 때문이 둘만의 단어가, 문장이, 언어가 공감화 된 것. 다른 아이들보다 공감능력이 뛰어났고 감성이 좋아서 남자 아이 같지 않다는 말도 늘 수식어처럼 따라다녔다. 어린아이 같지 않게 말을 참 예쁘게 했고, 언어 구사력이나, 단어 표현력이 늘 나이답지 않는 편이었다. 어쩌면 정말 어려서부터, 그림책을 같이 이야기하듯 나누어서 그렇지 않을까? 그림책 공부를 할수록 그 생각에 확신이 더해졌다. 둘이서 참 많이 떠들어 댄 그때의 나에게, 참으로 대견했노라 칭찬해주고 스스로 기특하다 토닥거려야 한다. 독박육아 하던 그 힘든 시절을 돌이켜보니, 나와 나의 아들을 하나로 묶어주기도 했고, 위로해주던 그림책이, 많은 것을 선물했고 나를 꿈꾸게 했다. 그리고 나를 이토록 많이 변화시켰구나, 성장시켰구나 돌아보게 한다.

나를 비롯해 내 아이들의 마음 역시 성장했다. 상상력, 감성, 언어, 표현력, 공감, 섬세함. 배려. 그림책을 보면서, 따스함과, 질서를 이야기하고 나누며, 감동을 먼저 느껴서인지, 세상을 바라보는 마음이 참 예쁘게 성장했다. 뿐만 아니라 엄마들이 좋아하는 공부력까지 덤으로 따라 오게 했다. 그 날의 노력이 내 아이를 참 예쁜 마음으로 성장하게 했다. 훌륭하게 잘 키워낸 나에게 박수! 그러나 이 대목에서 명심해야 할 것이 있다. 공부력 때문에 시작된 강요하는 그림책 읽기가 되어버린다면 소통도 공부력도, 둘 다 망치는 지름길이 되어버릴 수 있다는 걸 꼭 명심하길 바란다.

그림책은 언제나 즐겁게 엄마가 아이에게 읽어주시기를..

그림책의 진정한 가치와 힘은 이런 것이다

그렇게 그림책은 아이에게 참 많은 세상을 열어준다는 것. 동시에 엄마도 그 세상을 함께 바라볼 수 있게 된다는 것이다. 그리고 착한 가치관이 더해진다. 좋은 어른으로 남을 수 있는 있도록 아이를 잘 키워낼 수 있도록 나쁜 것에 물들거나 흔들리지 않도록 버틸 수 있는 힘. 그림책의 커다란 뿌리가 나로 하여금 꽉 붙들어 주고 있다는 느낌을 받았다. 세상을 어떻게 살아야 할 지에 대한 굳건함 마저 생기고 말았다. 세상 일은 그저 관심 없던 내가, 겁나는 일은 모르는 척 내 가족이나 잘 챙기자, 우리 가족만이 내 일 뿐이던 내가, 후원을 하기 시작했고, 봉사를 하기 시작했다. 세상일에 모르는 척 할 수 없게 되었고 싸우기 시작했다. 그림책 세상이 있어서 나는 아직도 좋은 어른일 수 있고, 그림책 세상의 선한 영향력으로 우리 아이를 잘 길러내고 있다고 칭찬해줄 수 있는 엄마이자, 그림책 덕분에 아들에게 멋진 엄마로 인정받을 수 있는 것 만으로도 이미 난 충분하다고 생각한다.

"아이말을 노트하다.

노트에, 핸드폰에, 사진에, 쪽지에 여기저기 동영상에 수시로 터져 나오는 말을 그때그때 놓치지 않기 위해 남겨놓기란 쉽지 않다

아이 말을 어른의 말로 고치지 않고, 아이의 말 그대로 남기는 것이 포인트이다.

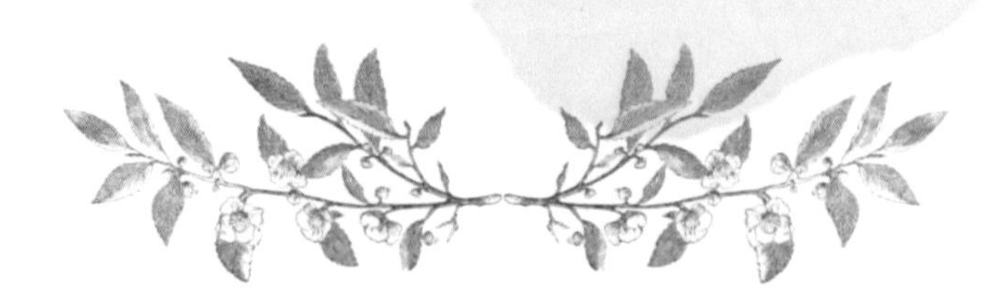

아이가 말을 한 순간에 그대로 적지 않고 나중에 내 기억대로 적게 되면, 어법에 맞게 수정 될 수 밖에 없다. 그렇게 되면 아이의 말이 어른의 말로 변형이 되어, 아이 말을 놓치게 되는 상황이 된다. 그래서 나는 순간 아이의 말 그대로를 남기기 위해 녹음버튼을 누르거나, 동영상을 찍거나, 오타가 나더라도 그대로 받아 적으려 애를 쓴다. 수정되지 않은 그 말 그대로 전하는 느낌이 다른 것이다. 이제 막 말을 시작한 세 살. 말 한마디 한마디 뱉어주기만 해도 고마울 엄마의 마음이 보인다면, 저 세 마디가 뭐라고 저장을 해놨대? 라고 쉽게 생각하지 않으리라 생각한다. 이 때만 할 수 있는 대화, 이 시간이 지나가면 할 수 없는 말이기에 지금 당장 기록하는 것이었다. 이 대화를 시간이 지난 후에 기록한다면, 과연 어떻게 기록으로 남을까? 기억을 더듬어, 포도같이 생긴 열매가 있는데 먹고 싶어! 라고 쓰다가, 그게 써둘 일인가 싶어 기록 자체를 해두지 않았을지도 모를 일이다.

그림책 육아를 시작할 당시 장서영 선생님께 배운 것이 말공책 쓰기 였는데, 그때부터 쭉 습관을 들여온 것. 공책에 쓰다 공책이 너덜거리고 핸드폰에 쓰고 저장하길 반복하다 SNS에 기록하고 있어 말노트라 이름을 칭하지만 어쨌든 그 시작은 장서영 선생님으로 시작되어, 늘 마음 한 켠으로 감사하게 생각하고 있다. 이 후 말노트에 관해 그림도 그리고 책도 쓰고, '아이말을 노트하라' 라는 마들렌플러스 줌수다방도 열어 홍보 전수중인 말노트 되시겠다.

우리 집에 나 말고 가족이 있다면 말을 기록하는 일을 시작해보길 권해본다.
큰 아이도 괜찮다. 아이가 커갈수록 대화가 줄었다면 이를 계기로 소통을 시작해 보길 권한다. 대학생 아이들 입에서 얼마나 보석 같은 말들이 쏟아져 나오는지 아는가? 같이 말노트를 나누던 대학생 아이의 보석 같은 말이 아직도 생각난다. 그러니 다 컸다고 포기는 금물이다.
- 남의 집 큰 아들도, 훌륭한 기록으로 남을 지 모른다.
부모님의 말노트는? 더 늦기 전에 당장 시작해야 할 우리 모두의 일 일지도. ,
늘 나의 아이디어는 이런 식이다. 그렇게 일을 키우고 만들고 있지.

십시일북
그림책
너의두손에
유진희그림
장면중

ILLUST. #하고 싶은 게 너무 많아.

유튜브를 통해 독학을 하다가 본격적으로 배움을 시작하기로 했다. 우선 수강 가능한 강좌부터

플러스펜을 시작으로 오일파스텔, 색연필

보타니컬, 민화, 수채화, 아크릴과 ,

플루이드까지 빠졌버렸다.

장비 사랴 물감 사랴 헉헉 거렸지만, 나름대로 각각의 매력들이 넘쳐났고. 이렇게 재미질일인가. ㅎㅎ

오일파스텔은 꾸덕꾸덕함이 매력. 손맛이 제일이다. 대충해도 퀄리티가 보장되니 이 또한 매력이다.

내성격이랑 딱인 아이랄까.. ㅎㅎ 정말 매력 만점이다.

플러스펜이 미술도구가 될 수 있다니? 나 학교 다니던 시절에 플러스펜 무진장 싫어했었다. 그 이유는 글씨 쓰는데 자꾸 번진다는 이유로! 그렇다. 그런 이유로 수채화 도구로 딱이었던 거였네 신세계였다. 플러스펜으로 물감을 대신해 수채화 기법을 흉내내다니! 워터브러쉬와 합작으로 둘의 콤비는 장비의 편리성, 간편한 휴대성, 쉽게 수채화 느낌을 나타낼 수 있다는 아주 큰 장점이 있다.

색연필화는 꽃 그림으로 공들인 만큼 정말 예쁘게 그려낼 수 있지만, 생각보다 꽤 많은 시간이 걸린다. 섬세한 작업이라 다른 작업에 비해 퀄리티를 내려면 대충해서는 안 된다.

민화는 종이를 가려야 한다는 단점과,. 아직 적응이 안돼서 그런지 재료가 복잡해서 시도하기 번거로웠다. 수업 때만 하게 되었고, 많이 사용을 못했다.

수채화를 배운 이후로는 수채 물감으로, 붓을 들고 물 칠하는 손맛이 좋다

개인적으로는 누가 뭐래도 단연 연필화가 최고다.

WATERCOLOR PLUSPEN

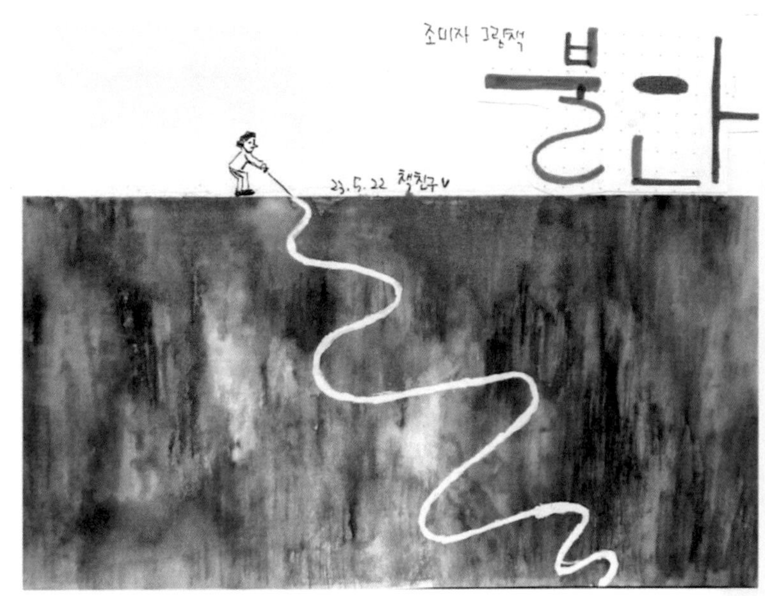

플러스펜 [불편한 편의점]　　플러스펜 [조미자-불안]

Mybook

그림책 아뜰리에

나는 작은 도서관 책 친구로 선정되어 23년 한 해를 책 친구로 활동하며 많은 실험을 하며 지낼 수 있었다. 덕분에 매주 월요일은 성인클래스로 매주 수요일은 초등클래스로 그림책을 읽으며 미술활동까지 나눌 수 있었다.

그림책을 읽어주고 나면 가장 뿌듯한 순간이 있다. 그림책 마지막 장을 읽고 책을 덮는 순간이 그 순간이다. 성인들은 성인들대로, 아이들은 아이들 나름대로 그림책을 느끼고 표현한다.

감동하는 법도 저마다 다르지만 그 마음이 내게 전해지는 그 순간에 내가 마치 무대 위에서 한편의 연극이라도 끝낸 것 같은 전율이 느껴질 때가 있다. 독자들이 박수를 쳐줄 때 눈물을 흘려줄 때 감동을 받았음을 전해줄 때 또 다른 감동이 느껴지는 것. 성인들의 감동은 참았다가 마지막 순간에 다 꺼내어 보여줄 때가 많지만 아이들은 매 순간 진심을 다 해 그림책에 빠져들고 있음을 보여준다. 진심으로 화를 내고, 그 누구보다 억울해하고, 그 누구보다 미안해하는 순수함이 있다

후에 즐기는 미술놀이는 또 다른 재미를 불러일으킨다.
어른들은 오롯이 그림책에 흠뻑 빠져드는 시간,
나만의 시간을 통해 치유의 시간을 갖는 것 같다.
아이들은 미술학원보다 더 붓고 뿌리며 노는 도서관이 신기할 뿐. 작은 도서관이 아닌 작은미술도서관이라 부르는 아이들이
어느 날부터 집에 가지 않기 시작했다.

우린 그렇게 매일 물감을 튀겨대며 놀았다.
많은 미술놀이를 그림책과 할 수 있었던 시간.

작은 도서관과 글감 동아리와 함께하기 시작하면서 키워진 능력치와 재능기부, 경력까지 더해져 나는 사회로 나아가고 있었다. 앞으로도 여전히 작은 도서관은 모두에게 꿈꿀 수 있는 공간 이길 바라며, 사람이 계속 커나갈 수 있는 곳 이길 바란다.

수성펜을 활용한 아이말노트 작품

도서관에서 배워온 수성펜 작품에 아이말을 캘리로 써 본 작품.

지금 못해줘서
속상하다...

2022.10.27 스윗하윤

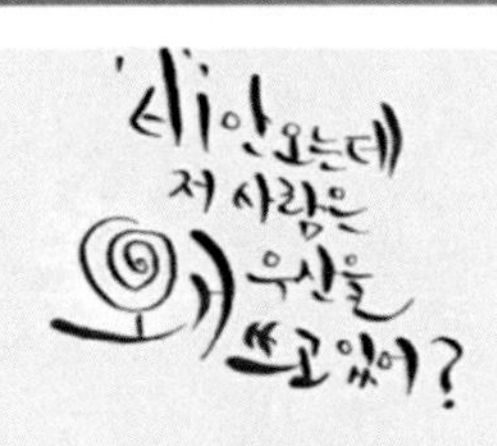

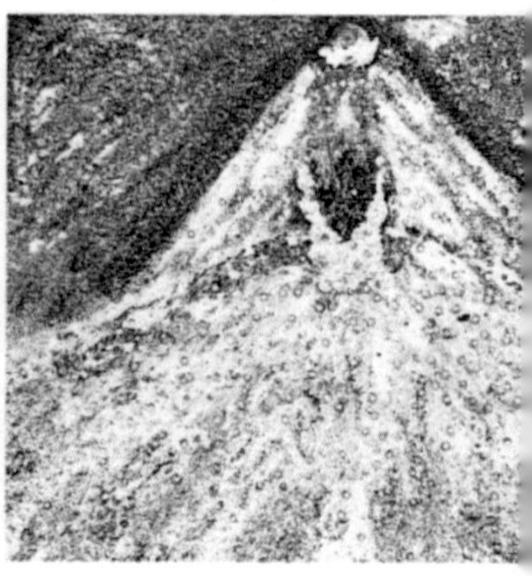

여정

유진희 (빛날지니)

피어난 지 올 해로 몇 이오?
찍어낸 발걸음, 지금껏 몇 길이나 내었소?

아니 그렇게 쉼 없이 가다가는, 저 산을 다 넘기도 전에 나동그라질 텐데.
여기, 잠시 숨 고르며 앉았다 가도 내 괜찮소. 그래야 또 일어설 수 있지 않겠소.
내 것 아닌 것에 눈길 한 번 손 짓 한 번 준다고 큰 손해 보지 않는다우.

바람 타고 날라 드는 내음 타고 달라지는 순간 순간의 기운들도 느껴보시구려.
지금이 아니고서야 어찌 지금의 순간을 오롯이 느낄 수 있겠소?
어떠우. 여전히, 멈추지 않고, 뛰고 있는, 그대의 심장 소리가 느껴지시오?
지나가면 달라지는 찰나의 순간에 놓쳐서는 안 되는 것들이 있지 않소?
뒤돌아 한번 보시오. 지금껏 그 심장으로 열심히 찍어온 어여쁜 길 이라오.

그대가 바라보는 저 발걸음은 지금껏 어떤 마음으로 걸어왔소?
걸음 따라 형형색색 피어올라 스며드는 추억들은 어떤 마음이오?

어제는 가벼웠으나 내일은 발걸음이 떨어지지 않을수 있고,
또 무거운 마음이 언제 그랬냐는듯 사그라지는것이 인생 여정이니
혹여나 아프게 하는 것들은 그저 바람 따라 시간 따라 사라지게 버려두고,
오늘 만큼은 잊고 싶던 추억 하나 떠올려보는 것도 좋지 않겠소?

그대가 지금껏 걸어 온 순간에 가장 눈부시게 찬란했던 순간을 떠올려보시길,
피어오르는 희미한 연기 속에 찬란했던 그대의 짙은 미소 다시 떠올려보시길,
앞으로 나아갈 인생 여정, 늘 그 때의 찬란한 미소로 그대가 그대를 맞이한다면,
그대가 언제든, 그대는 언제 어디 서나 빛날지니,
더욱 가벼운 발걸음으로 더 먼 여정을 떠날 수 있지 않겠소.
훗날 당신만의 길을 찾은 그곳 정상에 우뚝 서 있을지니,
우린 그때 다시 만나 여전히 빛날지니.

그때까지 언제 어디 서나 빛을 잃지 말고 그 무엇보다 자신을 먼저 아끼시오.
당신은 언제나 늘 열정적으로, 당신 답게 빛나오.
그러니 변하려 들지 말고 성장하고 변화하면 되오. 건강하시오.
늘 부끄럽지 않은 삶을 스스로 참 열심히 살아내고 있지 않소.
앞으로도 그럴 것이오. 스스로 행복하면 그만한 삶이 없나니.
빛날지니는 끝끝내 빛날 수 밖에 없을 지니.
유진희는 끝끝내 빛날지니. 내 응원하리다.

앙꽃피다
우리들의 글감

허애란 에세이

With 애란愛

TIT IS NOT POSSIBLE FOR ONE TO TEACH OTHERS WHO CANNOT TEACH HIS OWN FAMILY.

FRIENDSHIP IS CERTAINLY THE FINEST BALM FOR THE PANGS OF DISAPPOINTED LOVE.

I HAVE ALWAYS THOUGHT THE ACTIONS OF MEN THE BEST INTERPRETERS OF THEIR THOUGHTS.

Reception to Follow

캘리를 배우다

허애란

나의 비밀정원
책보러 왔다가
캘리를 배우고
책보러 왔다가
푸어렁에 빠지고
책보러 왔다가
책친구가 되는
도서관은 나의 비밀정원

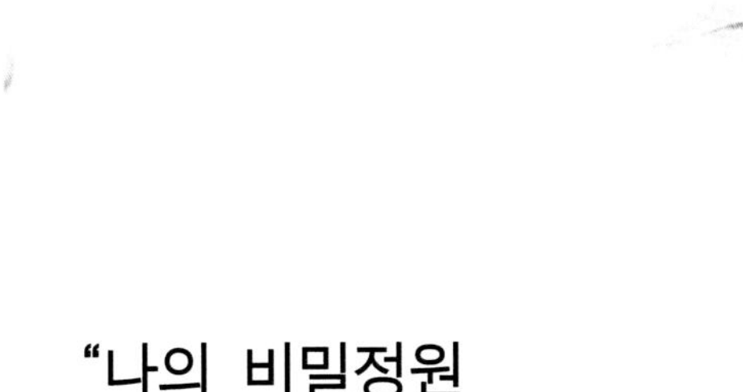

“나의 비밀정원

작년 10 월쯤 이였던 거 같다. 작은 도서관에 첫발을 들이고 봉사를 시작 했던 것이.... 도서관 봉사자가 무슨 일을 하는지도 잘 모르고 토요일이면 청소며 서가 정리와 책의 대출, 반납 업무를 보며 나를 위한 시간을 보냈다. 오롯이 나를 위한 시간을 보낼 수 있는 도서관이 좋았고, 이 공간이 좋아서 1 년이 넘는 시간을 도서관에서 보냈다. 그러면서 서서히 평일에도 도서관을 이용하게 되었고 도서관에서 진행되고 있던 캘리그라피 동아리를 알게 되면서, 참여도 하고 캘리그라피의 매력을 알게 되었다.

처음 접해보는 캘리그라피의 다양함에 마음 한켠의 두근거림도 느껴보고, 수성펜 수채화의 매력에 빠져 밤을 지세우기도 해보고 수채화물감의 영롱한 색채에 마음을 빼앗겨 헤어 나오기 힘든 경험도 해보고 캘리그라피의 매력적인 글씨체와 그림 등을 배우고 만들게 되면서 이렇게 멋진 자작 시와 작품까지 만들 수 있는 능력을 가지게 되었다. 정말 대단한 발전이라는 생각이 들었다.

양주라는 신도시에 덩그러니 혼자 떨어진 외톨이 같았던 내가 동아리 활동을 통해 활기를 찾고 자신감도 가지게 되었고 엄마들과의 교류도 만들게 되었다.

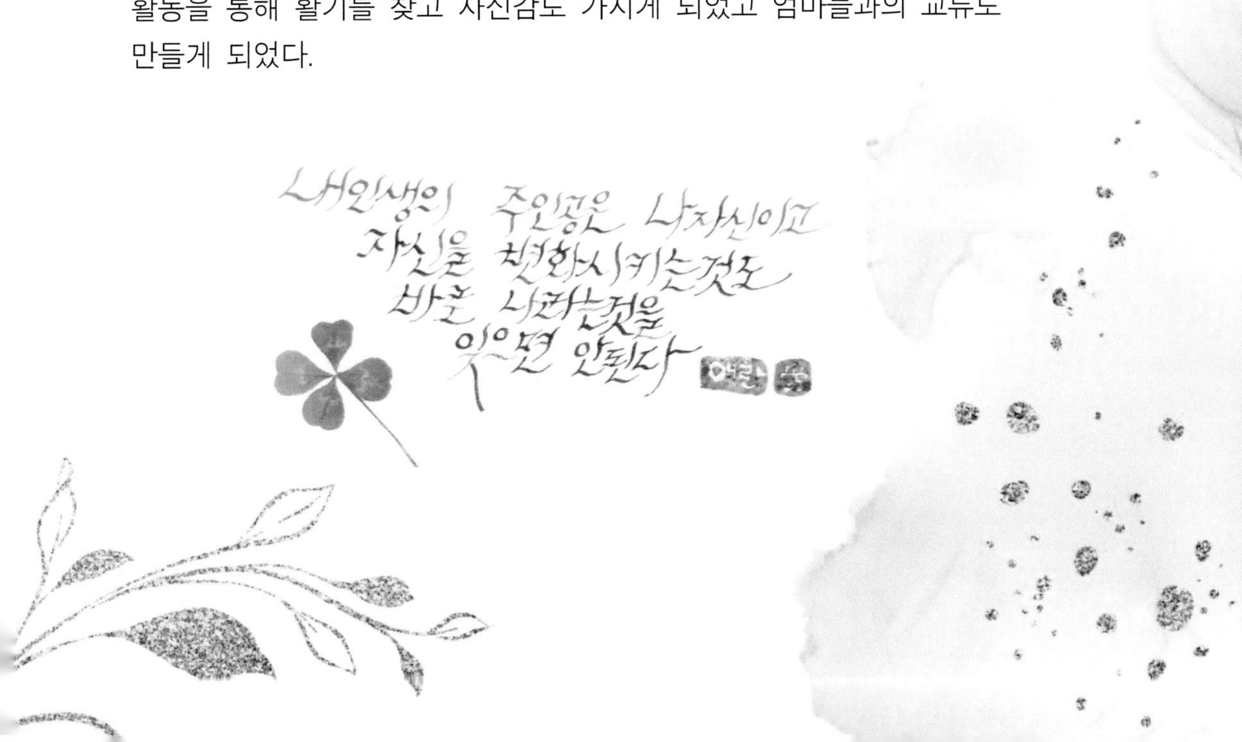

새로운 친구를 만들기가 힘든 아줌마들이여~
외로움과 낯선 환경에 불안한 아줌마들이여~~

작은 도서관을 통해 새로운 만남을 가지고, 새로운 배움도 만들고, 가족들만을 위하는 내가 아닌 나 자신을 찾을 수 있는 시간을 가지길 바래본다. 나처럼~~^^ 작은 도서관에 다니면서 다양한 것을 하고 있는 나를 만날 수 있었고, 앞으로도 다양한 나를 만나기 위해 작은 도서관을 사랑하게 될 것 같다. 나 자신을 사랑하게 된 중년의 아줌마가 이렇게 글도 쓰고 있다. 행복하게...

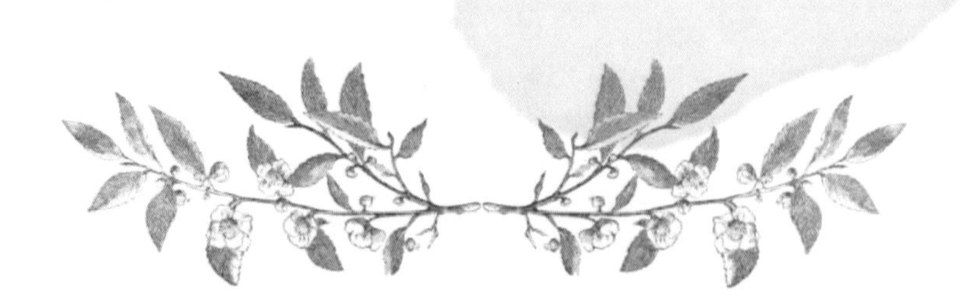

검정펜으로 그리는 대나무

검정펜으로 짧은선을 2개씩 마주 보게 띄엄띄엄 그린다.

붓에 물을 묻혀 마주보는 두선을 연결한다.

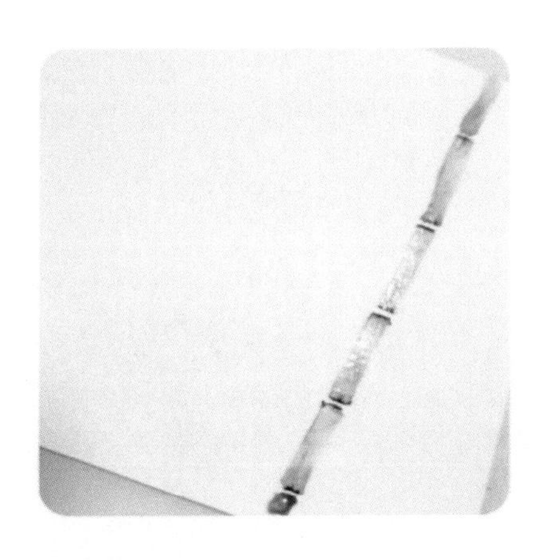

물칠을 하며 두선을 연결할 때 약간의 빈틈을 남겨둬서 자연스러운 음영을 표현한다.

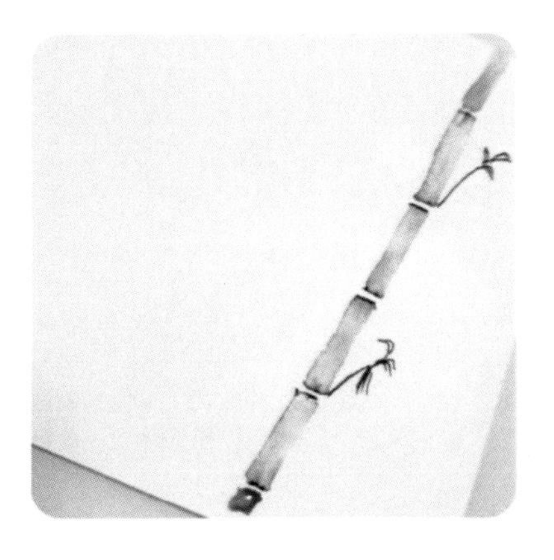

검정펜으로 대나무 잎을 몇개 그린다. 이때 잎의 시작부분만 살짝 그려준다.

검정펜으로 그리는 대나무

붓에 물을 묻혀 잎을 완성하고, 같은방법으로 대나무를 몇개 더 그려준다.

선을 좀 더 두껍게 칠하거나 길게 칠하면 더 진한 대나무가 완성된다.

물칠을 하며 잎을 완성할때 잎이 내려오는 각도와 방향을 다양하게 그려준다.

옆으로 기울여져 자라고 있는 대나무도 그려준다.

검정펜으로 그리는 대나무

얇은 대나무는 선으로만 표현할 수도 있다.

검정펜만으로 멋진 대나무가 완성된다.

검정 펜 하나로 대나무를 아주 쉽게 그릴 수 있다.
작은 선 몇 개만 그리면 멋진 대나무가 완성된다.

준비물 : 검정플러스펜, 수채엽서지, 워터브러쉬 또는 붓, 붓펜

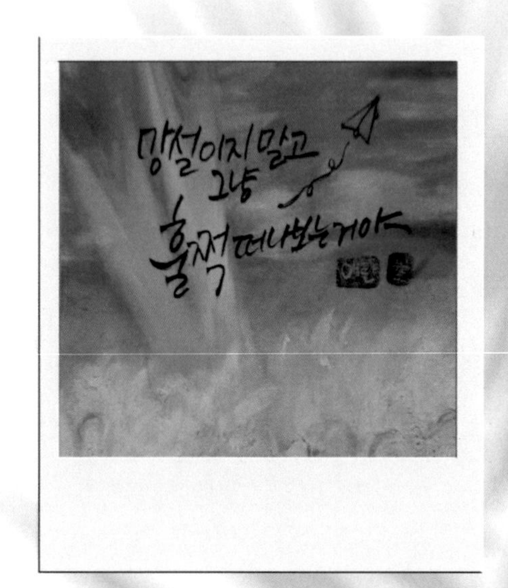
망설이지 말고
그냥
훌쩍 떠나보는 거야

자신이
생각하는 것을
계속하면
반드시
달성할 수
있다
공자

고래의
꿈

다이어트가
필요해

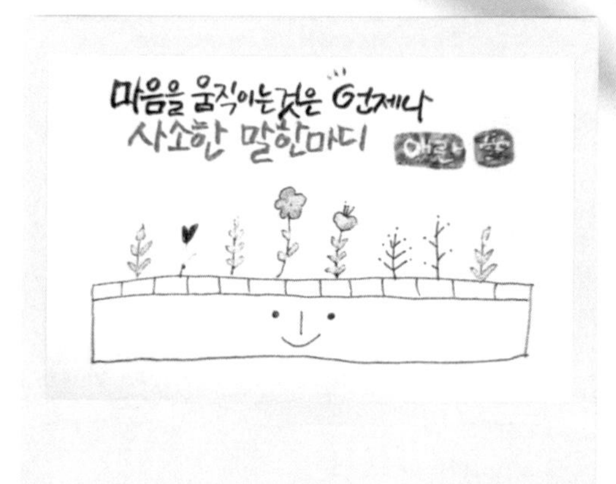
마음을 움직이는 것은 언제나
사소한 말 한마디

나만의 텀블러 만들기

암꽃피다
우리들의 글감

후지타아이 에세이

With Calliあい

THE VERY SPRING AND ROOT OF HONESTY AND VIRTUE LIE IN GOOD EDUCATION.

PURCHASE NOT FRIENDS BY GIFTS; WHEN THOU CEASEST TO GIVE, SUCH WILL CEASE TO LOVE.

THE IDEAL MAN BEARS THE ACCIDENTS OF LIFE WITH DIGNITY AND GRACE, MAKING THE BEST OF CIRCUMSTANCES.

Reception to Follow

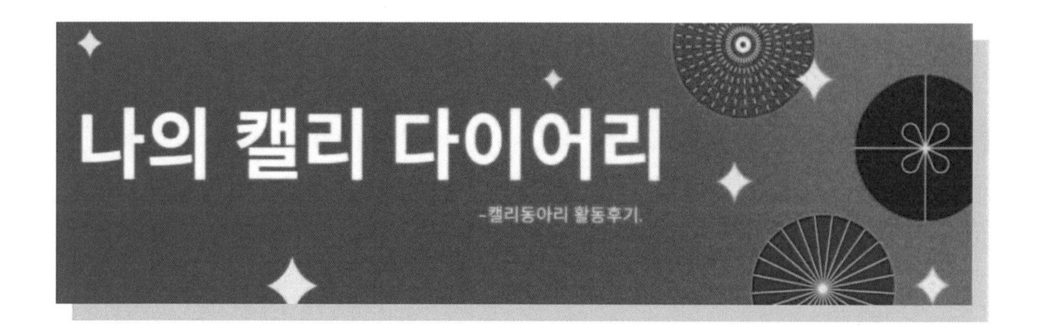

후지타아이 CALLIあい

추억에 이끌려

내가 캘리그라피를 시작하게 된 계기는 매우 단순했다. 아파트 단지 내 작은 도서관에 캘리그라피 강좌가 개설되어 재미있을 것 같아 신청하게 되었다. 나는 어렸을 때 습자를 배웠는데, 그때는 내가 좋아해서라기보다는 왼손잡이를 오른손잡이로 고치기 위해서였다. 캘리그라피를 배우기 시작했을 때, 어렸을 때 습자를 배우던 생각이 났다. 그때는 분명히 의무감으로 배웠는데 돌이켜 생각해 보니 즐거웠던 것 같다. 서툴러진 글씨를 보고, 붓으로 글을 쓰는 습관을 다시 습득하고 싶어졌다.

쉬울 줄 알았어

캘리그라피는 습자와 달리, 쓰는 순서가 상관없고 글씨체도 다양했다. 내 마음대로 써도 된다는 점이 너무 마음에 들었다. 하지만, 쓰면 쓸수록 내 마음처럼 잘 쓸 수 없었다. 작품을 만들 때마다 종이도 많이 낭비했고, 내가 좋아하는 글씨체와 내가 잘 쓸 수 있는 글씨체가 다를 수도 있는 것도 알게 되었다. 글씨에 대한 평가도 사람마다 다르고, 글씨를 잘 써도 배치의 균형이 좋지 않거나, 글씨는 잘 써도 그림에서 실패하기도 했다. 마음대로 할 수 있다 해서 쉬울 거라 생각했는데 마음처럼 글이 써지지 않았다.

그럼에도 불구하고 즐거운 일

캘리그라피를 경험해 본 후, 멋진 작품을 만나게 되면 작품을 만든다는 것이 얼마 나 대단한 일인지 더욱 느끼게 되었다. 작품 자체뿐만 아니라 거기에 보이지 않는 배경까지 상상하는 게 즐겁기도 했다. 나는 그림에 솜씨가 없어, 작품을 할 때마다 고전한다

책과 삶을 이야기하고 나누는 시간이 좋았어.

동아리를 통해서 그림을 잘 그리는 분들에게 배우기도 하고, 교재를 보고 따라 그려보기도 했다. 혼자 했으면 포기할 수도 있었을 텐데, 지금도 흥미를 가지면서 하고 있는 것은 확실히 다른 분들과 함께 해서라고 생각한다.

작품은 각자가 만들었지만, 책과 삶의 이야기를 나누면서 같이 작품을 만드는 시간이 즐거웠다. 그리고 나름의 작품이 완성되면 매우 만족스럽고 기뻤다.

캘리를 선물할게.

캘리그라피를 계속하는 사람에게는 그 사람마다 이유가 있다. 작가로, 아이의 성장 과정을 사진처럼 기록하는 사람, 글씨나 그림을 그리면서 자신을 힐링 하는 사람, 등등…사람마다 다르겠지만, 나는 나를 위해서가 아니라 나의 글과 그림이 다른 사람에게 위로가 되는 것이 좋아 붓을 잡는 듯하다.

생일 선물을 고를 때처럼, 받는 사람을 생각하면서 보내는 시간이 참 따뜻하고 행복하다. 캘리그라피가 내 인생 취미가 되길 바라며…

누군가에게 전할 때 쓰는 나만의 방법을 몇 가지 소개해본다

<스탬프,스티커등 활용>

그림에 자신이 없다면 다양한 재료를 활용해도 좋다.

1. 생일 카드 꾸미기

<사용한 재료와 도구>

캘리그라피종이,컬러붓펜,마커펜,스탬프,잉크,스티커

<How to>

스탬프의 색상과 종류, 카드 디자인을 정하고 스탬프를 찍는다.

!)스탬프는 힘이 고르게 들어가지 않으면 여백 부분에 묻은 잉크까지 종이에 묻기 때문에 항상 주의한다.

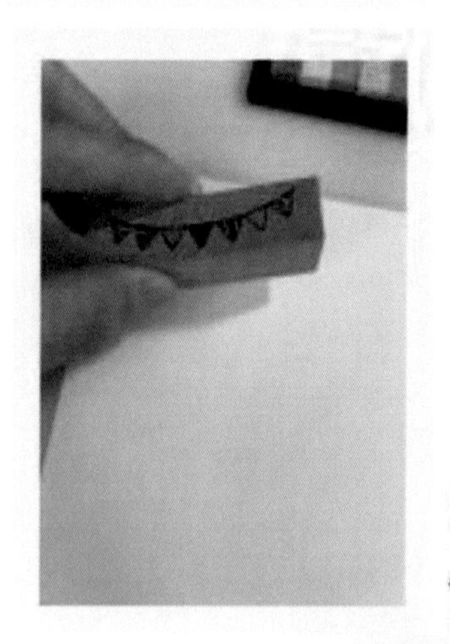

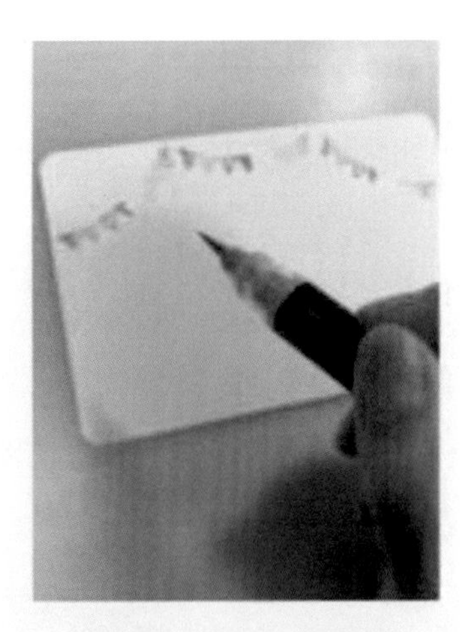

붓펜으로 글씨를 쓴다

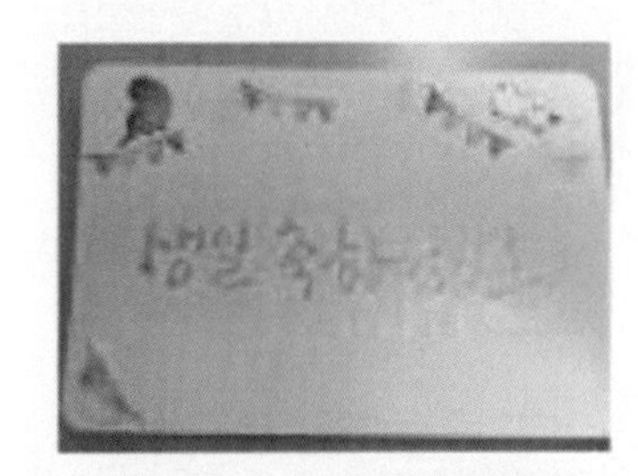

나머지 여백을 스티커,스탬프로 꾸며주고, 더 쓰고 싶은 말이 있다면 써도 좋다.

그림을 직접 그리지 않아도 캘리가 가능하다.

2 결혼 축하 봉투 꾸미기

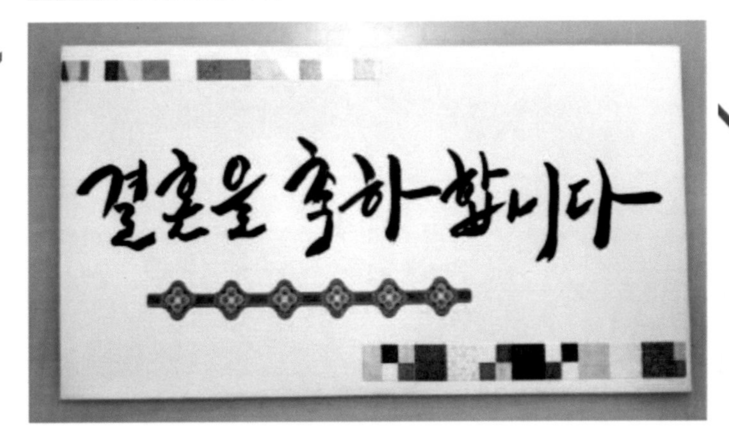

20

23

〈사용한 재료와 도구〉

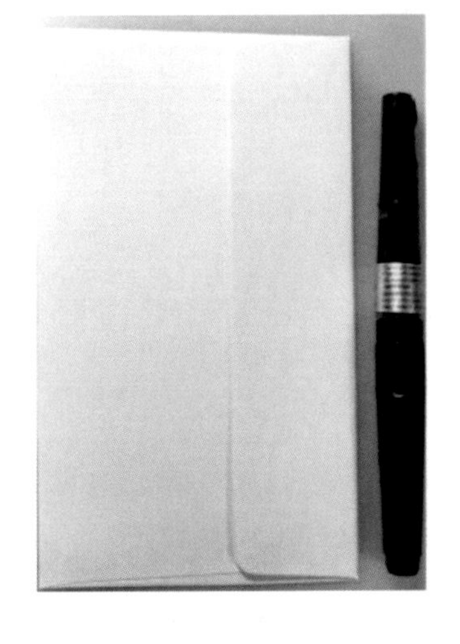

붓펜,현금봉투,스티커

〈How to〉

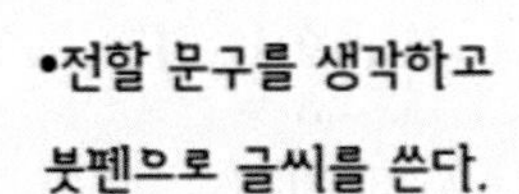

•전할 문구를 생각하고
붓펜으로 글씨를 쓴다.

나머지 여백을 스티커로 꾸며
서 마무리한다.

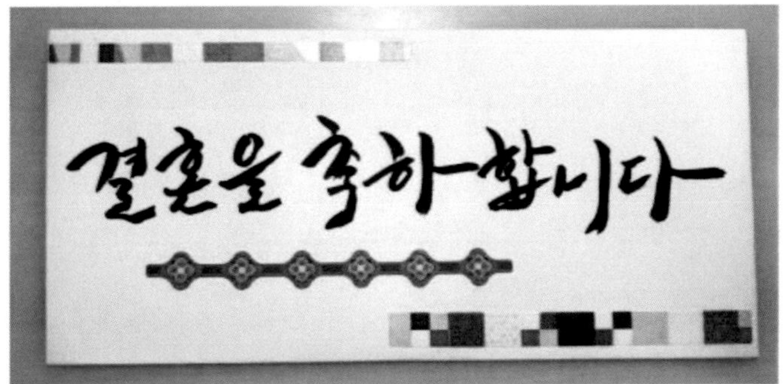

save the date

3.Thank you 카드 꾸미기

<u><사용한 재료와 도구></u>

<u>컬러붓펜,캘리그라피종이,스티커</u>

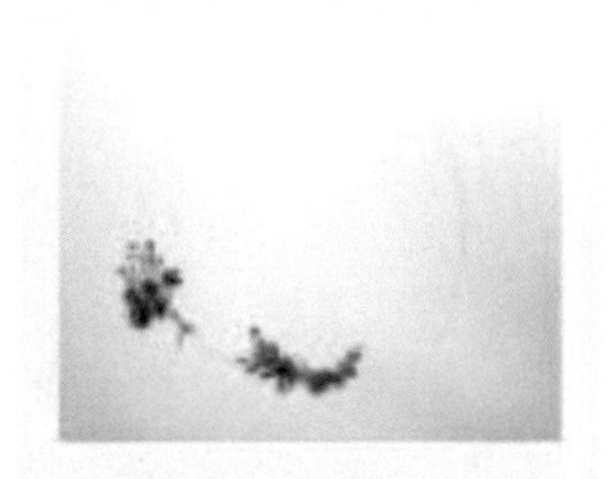

•리스 디자인으로 꾸미기 위하여 먼저 가이드라인을 대략 그린다

※선이 보이도록 이번에는 잎이나 줄기의 색깔로 그린다

•가이드 선 위에 균형을 보면서 스티커를 붙인다

•스티커를 다 붙인 다음에 원 안에 글을 쓰고 완성

캘리아이

크리스마스

Noel
Happy
Holidays

즐거운 추석
TRICK or TREAT

내가 너를 사랑하는 이유
고마워요
고맙습니다

いつも心に
花束を
一杯のコーヒー
沢山の幸せ
いつもありがとう

LOVE
Coffee
Break
Thank
You

앎 꽃피다
우리들의 글감

황인숙 에세이

With RuahCalli

HE WHO CAN, DOES. HE WHO CANNOT, TEACHES.
THE GREAT AIM OF EDUCATION IS NOT KNOWLEDGE
BUT ACTION.

ALL PEOPLE WANT IS SOMEONE TO LISTEN.

NOTHING GREAT IN THE WORLD HAS BEEN
ACCOMPLISHED WITHOUT PASSION.

Reception to Follow

수채화 캘리그라피

ruahcalligraphy

황인숙 (루아 캘리)

같은 방법으로 단풍잎을 모두 색칠해 주세요.

올리브 그린색을 사용하여 줄기 부분을 완성해 주세요.

딥펜과 잉크를 사용하여 글씨를 써주었어요.

붉은색 싸인펜과 흰색펜으로 낙관을 대신했었요.

연한 연필로 그리고 싶은 것을
스케치 해주세요.

깨끗한 붓으로 단풍잎 그림에
물을 충분히 적셔주세요.

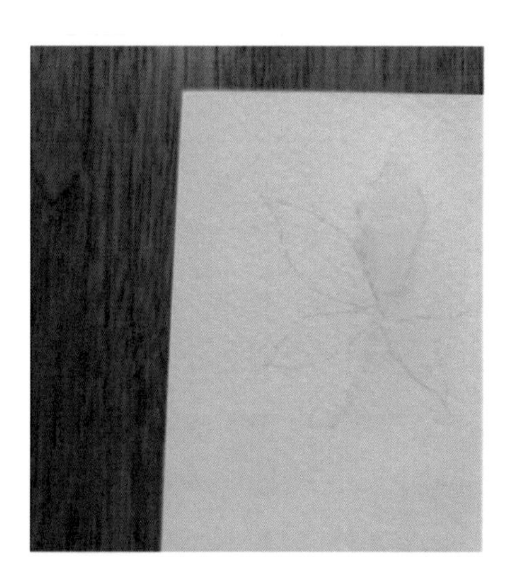

옐로, 옐로 카드뮴 색을 사용하여
단풍잎을 색칠해 주세요.

오렌지, 카드뮴 레드, 크림손색
을 사용하여 단풍잎 하나를 완성
해 주세요.

"우리는 웃을 때
주름이 생기는데
엄마는 안 웃어도
주름이 있네"

2023. 2. 1
식사중 오아인

ruahcalligraphy

아이들의 말에서 세월의 흐름을 느낀다.
웃고 울기만 하던 아이가 앵두 같은 입으로 옹알이를 시작하고 엄마, 아빠를 부른다. '싫어'를 시작으로 자신의 감정을 표현한다. 키만큼이나 아이들의 기발한 말을 들을 때면 '언제 저렇게 컸지?'라는 생각이 든다.

"별똥별은 왜 하늘에서 떨어질까?"라는 엄마의 물음에 곰곰이 생각하던 여섯 살 큰 딸이 "달님이 재채기해서 떨어지는 거야"라고 이야기한다.
걸레를 빨아서 짜고 있는 엄마 모습을 보면서 다섯 살 둘째 아들은 "꼭 먹구름에서 비가 오는 것 같아"라고 이야기한다.
겁 많은 누나가 화장실에 혼자 들어가는 것을 무서워하자, 남동생은 자신의 한쪽 발을 화장실 안쪽으로 밀어 넣으며 "누나 나 여기 있어"하고 누나에게 안심 시켜준다.
나는 아이들의 깨끗하고 맑은 표현을 들을 때면 그때의 그 장면과 느낌까지 고스란히 저축해 두고 싶어진다. 그래서 나는 그림을 그리고 글을 쓴다. 살다가 위로가 필요할 때 꺼내 볼 수 있는, 행복하지만 더 행복해지고 싶을 때 볼 수 있는 나의 작품 사진이다.

매주 금요일 오후, 큰아이가 학원에서 수업하는 동안 둘째와 나는 그림 그리기, 색종이 접기 등을 하며 큰아이를 기다린다.
그날은 '가을이 왔구나'를 느낄 수 있는 노랗고, 파랗고, 맑은 빛이 있는 날이었다. 창밖을 보던 둘째가 "가을에 나뭇잎이 알록달록 색이 변하는 건, 우리가 추석 때 한복을 예쁘게 입는 것처럼 나무도 옷을 예쁘게 갈아입는 게 아닐까?" 라고 이야기를 한다.
나는 웃으며 아이의 머리를 쓰다듬고는 아이가 했던 말을 잊기 전에 얼른 휴대전화를 꺼내 기록해 두었다.

밀린 숙제지만 급하지 않고, 나만의 기록이라 잘해야 한다는 부담감도 없어, 오롯이 나의 시간이 주어지면 그림을 그리고, 아이의 말을 기록한다.
"엄마가 네가 한 말이 예뻐서 남겼어. 한번 봐볼래?"
그 그림과 글을 읽는 아이의 얼굴에 미소가 지어진다.
자기의 말에 귀 기울여 주고 있다는 생각에 아이들도 부모의 사랑을 느끼는 듯하다.

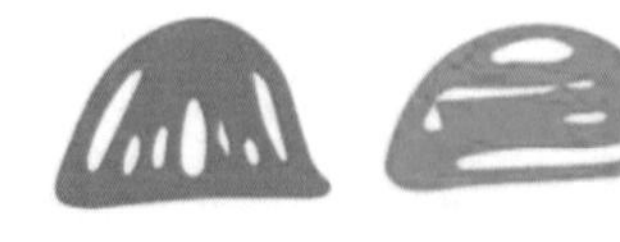

아이의 기분이 어떤지, 하늘의 구름 모양은 무엇 같은지, 나뭇잎은 어떻게 변하는지, 엄마 손은 따뜻한지... 이렇게 서로 질문하고 대답하다 보면 아이가 한 뼘 한 뼘 건강하게 자라고 있음을 느낄 수 있다.
그래서 오늘도 아이들의 말에 귀를 쫑긋 세워본다.
아이들과의 추억 하나를 더 저축하기 위해서....

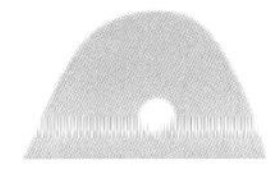
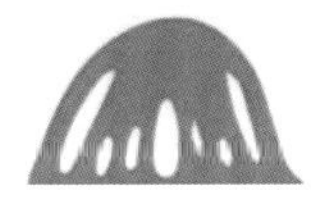

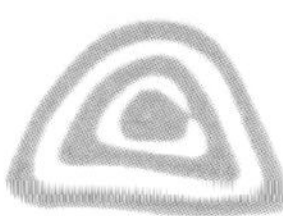

커피문집활동

"공동체는 커피와 함께 시작된다."

도서명	커피가 세상에서 사라지기 전에		
작 가	페테 레파넨 , 라리 살로마	출판사	열린세상
읽은 날짜	2023년 11월 25일	이 름	김현정

글감동아리 활동으로 커피 관련된 도서를 찾다가 기후변화와 커피의 미래라는 소 제목에 이끌려 이 책을 읽게 되었다. 작가 라리와 페트리는 학창시절 룸메이트로 커뮤니케이션학을 공부했고 밴드 활동도 함께하면서 여러 가지 사회문제에 대해 이야기 나누기를 좋아했다고 말하고 있다. 라리는 커피업계에서 일하고 페트리는 출판업계에서 일하고 있을 때 지속가능한 발전과 기후변화에 대해 이야기를 나눴 다. 그리고 현실적인 미래학자들이 30년 후 '커피가 없는 미래'가 예상된다는 의 견에 관심을 기울이고 지속가능한 행동을 해야겠다고 생각한다. 커피와 재배 환 경, 지속 가능성을 독자들에게 전하려 책을 펴내게 되었다. 이 책의 주된 내용은 기후변화로 커피가 세상에서 사라지지기 전에 인류는 무엇을 해야하는가를 알려주고 있다. 커피 산업의 현재를 확인하고 커피 멸종의 위기를 해결하기 위해 지속가능한 커피생산과 적은 양의 좋은 커피를 마실수 있도록 커피 산업의 무한한 성장 이면에 우리는 자연은 무한한 것이 아니라는 것을 명확이 알 아야한다는 것이다. 독후감의 주제를 "공동체는 커피와 함께 시작된다."라고 작성한 이유는 내가 경험 한 것에 착안한 것이다. 카페를 이용하는 소비자로 커피는 공동체를 결성하는데 중요한 매개체가 되고 있다고 생각했기 때문이다. 차 한자의 여유는 자신에게 힐 링 포인트가 되기도하며 지인들과의 만남도 카페에서 커피를

마시면서 이뤄지고 있기 때문이다. 그런데 이러한 일상에서 커피가 세상에서 사라진다면 위기가 분명하다. 커피를 즐기면서도 60여종의 커피 종류를 알기는 어렵고 커피나무의 생육환경과 토지환 경 그리고 대기업들의 전략들에 대해서는 관심도 적었었다. 대기업들은 커피체리를 수확하는데 생산비가 적게 드는 가난한 나라를 찾고 그곳 에서 노동력과 커피의 품질에 관련지어 이야기를 하고 있다. 간단히 생각한 내용 과는 다르게 기후, 공정무역거래, 환경, 재배면적, 유기농, 농약, 토양오염이 주는 지하수 오염 등 방대해지는 문제점들이 사회 경제적 관점에서 우리 모두가 알아야 하고 착한 소비를 해야 한다. 인류가 관심 갖어야 30년 후에 커피가 사라지지 않을 것이라 생각한다. 커피의 미래에 대한 지속가능한 경영과 계획을 기업들도 관심 작가 페테 레파넨, 라리 살로마 열린세상 2023년 11월 25일 김현정 을 갖고 실천해야 한다는 것을 전하고 있다. 자기 개발의 일환으로 독서활동도 하 면서 책에서 기억에 남는 좋은 글귀나 메시지를 캘리그라피로 옮겨 써 본다. “tea book"이라는 주제로 ‘커피가 세상에서 사라지기전에’ 책을 선정한 후 핸 드드립 커피 필터에 분쇄한 원두를 담고 크라프트지 위에 캘리그라피 문구를 작성 하면 완성이다. 이 프로그램을 진행 할 때는 도서관 곳곳에서 신선한 원두의 풍요 로움에 향긋했던 기억이다. 2023년 지방보조금 사업비로 프로그램과 문집을 완 성해 가는 지금이 추억이 되고 좋은 경험이 될 것이라 생각한다. 지역 주민간의 소 통과 친밀감을 높이고 자기 효능감을 느끼기에 충분한 시간이 되었다.

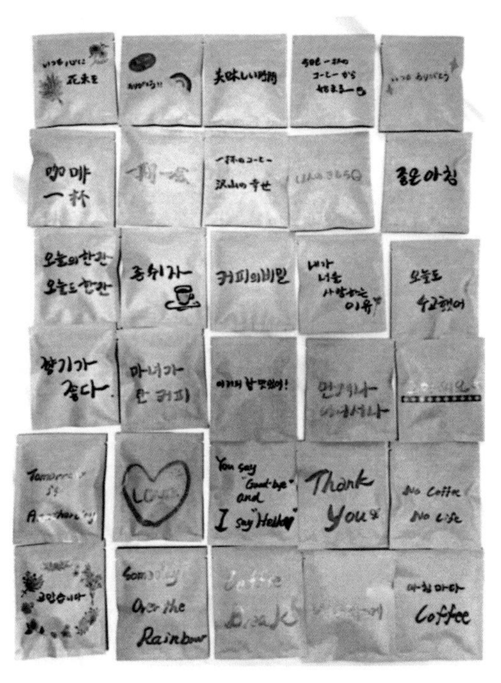

드립백 만들기
@Coffee 글감

커피
한잔 할래?

지구는 괜찮아 우리가 문제지

책을 읽고-RUAHCALLIGRAPHY

지구는 괜찮아, 우리가 문제지

이 책은 '양주시 올해의 책'으로 선정되어 읽게 되었다.
뉴스를 통해 기후변화로 인한 피해들을 자주 접하게 된다. 지구 온난화와 관련된 해수면 상승, 미세먼지로 인한 호흡기 질환의 증가 등 그 피해들이 고스란히 우리들의 생활과 연관되어 있다. 환경오염을 떠올리면 더 이상 뒤로 물러날 수 없다고 생각되어 생활에서 EM 세제 만들기, 천연 수세미 사용하기 등 소소하게 할 수 있는 것들을 하고 있다. 하지만 환경오염과 관련된 기후변화는 막연하고, 개인이 해결하기에는 거대한 문제로 느껴진다.

이 책은 '감정적으로 지구의 기후변화를 바라보지 말고, 사회적 약자에게 오는 피해를 막기 위해 기후변화에 대응하자.'고 이야기한다.
북극의 얼음이 녹아 북극곰의 삶의 터전이 없어지는 것보다 홍수로 인해 반지하에 사는 사람들의 삶의 터전이 없어지는, 조금은 더 현실적인 우리의 삶의 문제로 받아들이자고 말하고 있는 듯하다.
사실 이렇게 생각하니 문제의 심각성이 피부로 더 와 닿는 것 같았다.

글감 동아리에서 진행한
에코백 캘리그라피

또한 책은 여러 대체 에너지의 장점과 단점을 서술하였다. 나는 막연하게 '환경에는 가솔린차보다는 전기차가 좋다'는 생각이 있었는데 대체 에너지의 한계점과 실현 가능성 부분에서 아직도 갈 길이 멀었다는 것을 구체적으로 알게 되었다.
그리고 세계가 한마음으로 환경오염을 막기 위해서는 자국의 이익을 포기해야 가능함을 큰 틀에서 이해하게 되었다.

글감 동아리에서는 책을 읽고 난 후, 남기고 싶은 글과 그림을 에코백에 표현해 보았다. 책만 읽고 끝나는 것이 아니라 환경 보호와 관련된 작품을 만드니, 책의 여운이 더 길게 남는 듯하다.

고정순 작가님과의 만남을 위한 북작북작 전시준비

마니야
구두를 많이 닦아 고단한 날에도
하고 싶은 말을 하지 못한 날에도
나는 달을 봐
물 위에 비친 달 그림자처럼
마음이 흔들리는 날에도
너도 너만의 달을 만나길 바라
- 고정순 작가 <무무씨의 달그네> 中 -

<그럭저럭 잘 살아왔데이>

"다사다난한 감정으로 살아낸 삶의 이야기"

나는 지금 활동중인 글감 동아리를 통해 작가님을 알게 되었고, 읽게 되었다.

나는 활동적이지만 소설책을 참 좋아하는 사람이었는데 일에 몰두해 살다가 결혼하며 아이들을 낳고 키우며 자연스레 그림책으로 관심사가 옮겨졌다. 가끔씩 서평을 통해 에세이나 소설을 읽을 기회로 있었지만 그림책에 갔던 관심사가 쉽게 옮겨지진 않았고 이 에세이도 처음에 낯선 느낌이 컸다.

하지만 책을 받아 표지를 본 순간, 제목이 너무나도 마음에 들었다.
내가 평소 지내는 모습? 살아가는 마인드? 무언가에 오래 집착하는 성격이 아닌 나에게 그럭저럭 이라는 말이 왜 이리도 반갑고 친근하던지. 그림책을 보던 습관대로 표지를 펼쳐서 전체그림을 보았다. 한참을 바라보았던 표지. 깊고 아득하고 다정하지만 그리운 느낌이 드는 표지그림이었다.

그림에 소질이 없어서 아직 글귀 위주의 캘리만 해왔는데 표지를 보고 있자니 왠지 영감이 떠오른 화가처럼 그림과 글을 내 스타일대로 남기고 싶다는 생각이 들었다. 책 읽기 전과 읽고 난 후의 느낌이 다를 것 같아서 고민했는데 결국 책을 읽고 표지와 글을 남겨보았다.

이 책의 장르는 완전한 에세이의 느낌은 아니었고..시도 있으니 시집인가?

1DAY - 하루 ♥ 시간을 잡지 못한 날들
2DAY - 이틀 ♥ 웃으려 하다보니 웃어넘긴 날들
3DAY - 사흘 ♥ 쥐도새도 모르게 변해버린 고약한 날들
4DAY - 나흘 ♥ 열심히 살았을 뿐인 날들
5DAY - 닷새 ♥ 순수한 위로가 필요한 날들
6DAY - 엿새 ♥ 감수하고 감내하며 살아낸 날들
7DAY - 이레 ♥ 그럼에도 불구하고 살만한 날들

처음 접하는 형식이었는데 시를 읽고 고개를 끄덕, 그 뒤에 시를 뒷받침 해주는 글을 읽고 고개를 끄덕끄덕. 글을 요약한 게 앞의 시일까? 이 묘한 장르는 작가와의 만남을 통해 듣게 되었고 기발하다고 생각했다. 작가님은 시와 에세이를 결합했으니 시세이라고 이름을 붙여보았다고 말하는데 미묘한 단어의 장르의 탄생이 내심 기대되었다.

작가는 이 책에 자기가 살아낸 삶을 덤덤하게 풀어 쓴 듯 하였는데, 그래서인지 난 이 글이 술술 읽히다가 자연스레 감정이입이 많이 되어 고개를 몇 번이나 끄덕이고 밑줄을 긋고 울컥하고 내 삶도 회상하며 엄청나게 빠져들어 갔다. 밑줄을 긋다 보니 너무 많이 그어서 이러다 새로운 요약 본을 만들어낼 것 같았다.

왜 이렇게 공감하는 부분이 많을까? 나도 같은 역할을 수행해나가는 여자라서? 그래서 비슷한 점이 많다고 느꼈을까? 대부분의 엄마들이 이 책을 읽으면 나와 비슷한 감정을 느낄 것 같았다. 엄마의 삶이라기보다 여자로서 여러 가지 역할을 수행해나가는 삶을 살고 있는 사람이라면... 누구나 살아가는 것이 쉽지 않을 것이다. 작가가 제목 옆에 부제로 쓴 '살아낸' 이라는 부분을 한참이고 생각해봤다. '살아온'이라고 하면 그냥 그렇게 평범하게 살아온 것 같은데, '살아낸' 이라고 표현함으로써 많은 일들이 있었지만 힘껏 잘 버텨낸 삶이라고 생각이 든다.

위로...

괜찮다고,
내 잘못이 아니라고 한다
이해한다고,
숭덩하게 나를 다지는 모습이....
그러지 않아도 된다고
힘겹게 모든 것을 책임지지 않아야 한다
좋은 사람이라고
내 어깨를 토닥인다
연륜도 없고 노련함도 없는
고사리손, 작은 입, 연약한 몸의
순수하고 맑은 아이가 건네는
천사의 위로

이 책의 작가인 사각사각 유자씨의 감정이 솔직하게 드러나는 이 책은 누군가의 일기장을 본 듯 하였다. 오래 전부터 알던 지인의 하소연 같기도, 평소 친하게 지내는 언니의 수다 같기도 한 친근함이 느껴지는 책 우여곡절을 겪으면서도 이겨내며 단단해지려고 하는 작가의 마음이 너무 크게 느껴졌고 그럼에도 잘 살아내고 있다고 긍정의 메시지를 주고 있는 점이 독자에게도 격려가 되는 글이다. 평범하게 사는 삶이 제일 어려운 삶이라는 것을 나이를 먹을수록 더욱 느끼고 있기에 나도 잘 살아내 보자고 함께 다짐해본다.

We enjoyed Reading, Writing, Drawing Togethe

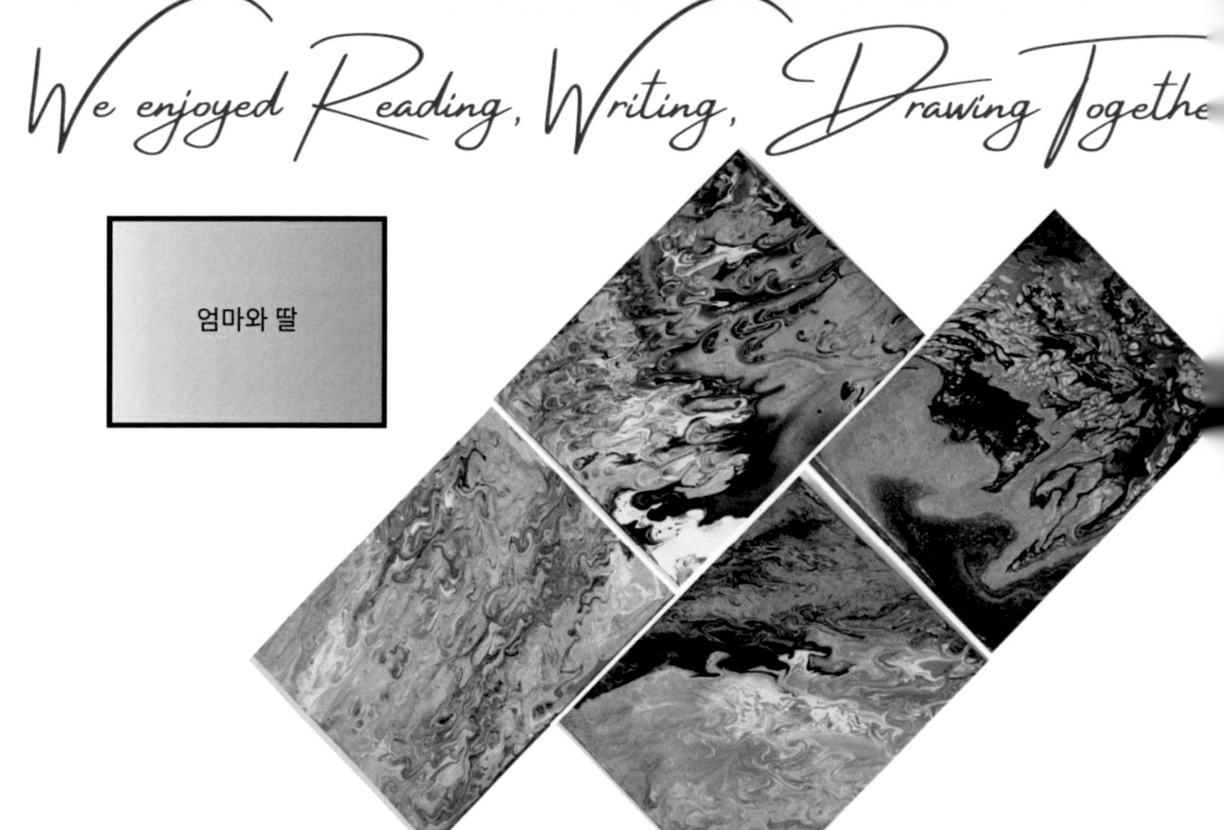

e enjoyed Reading, Writing, Drawing Together

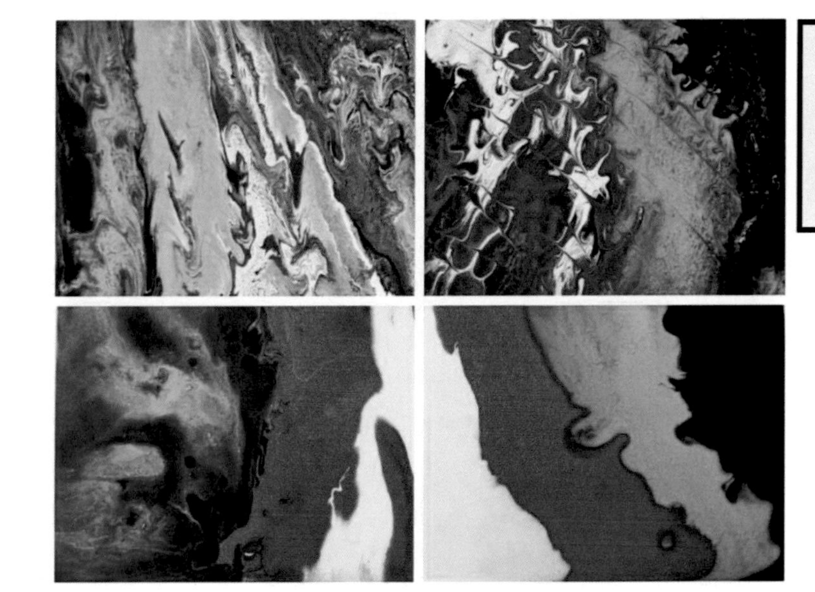

오늘도
지금 이순간도
감사합니다

We enjoyed Reading, Writing, Drawing Togethe

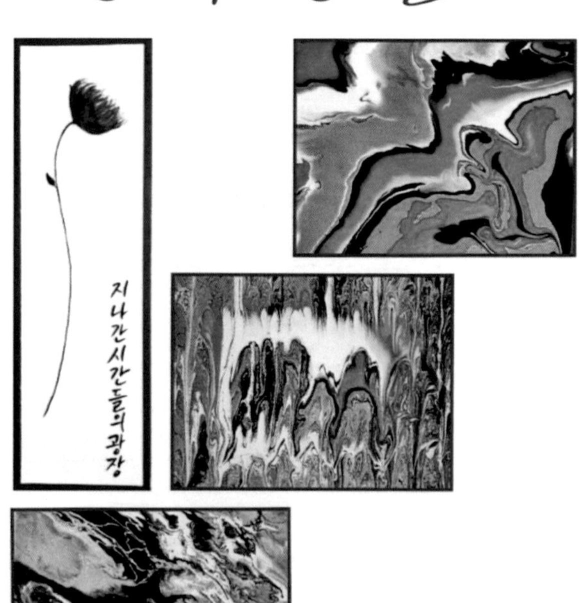

We enjoyed Reading, Writing, Drawing Together

어긋나는 시간 차이

정말 시간이
문제 인걸까?

캘리아이

We enjoyed Reading, Writing, Drawing Togethe

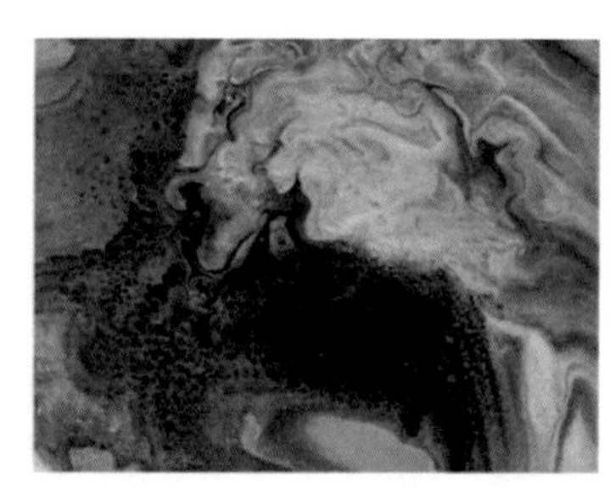

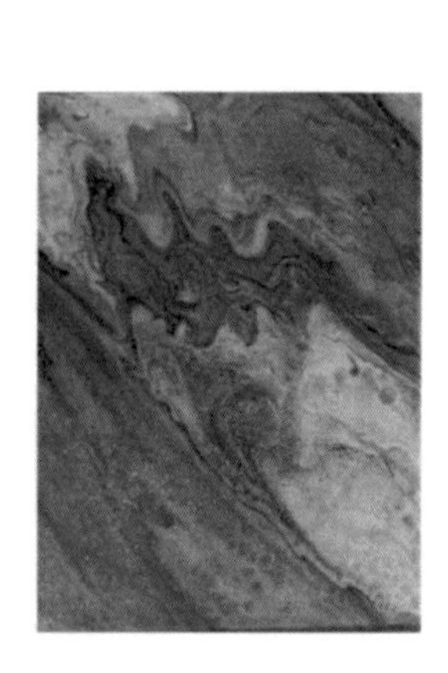

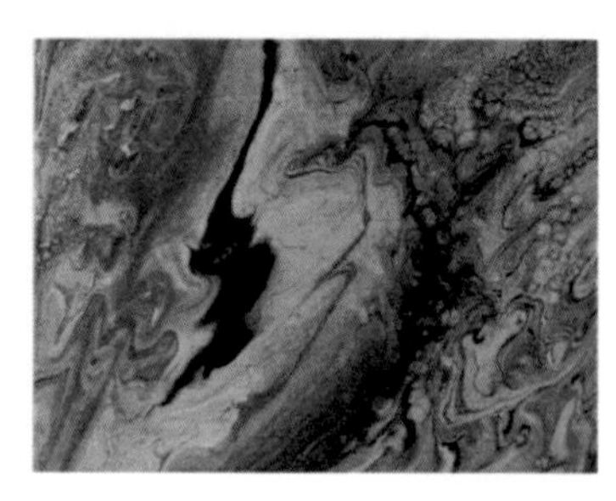

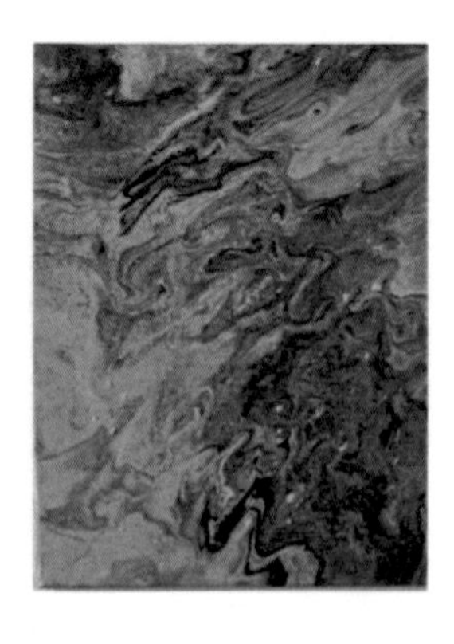

We enjoyed Reading, Writing, Drawing Together

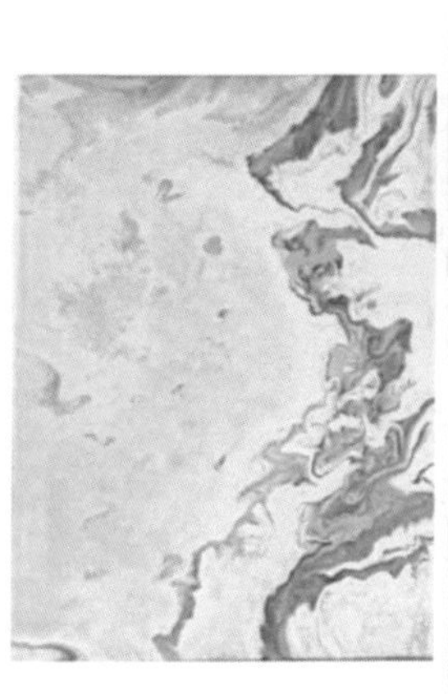

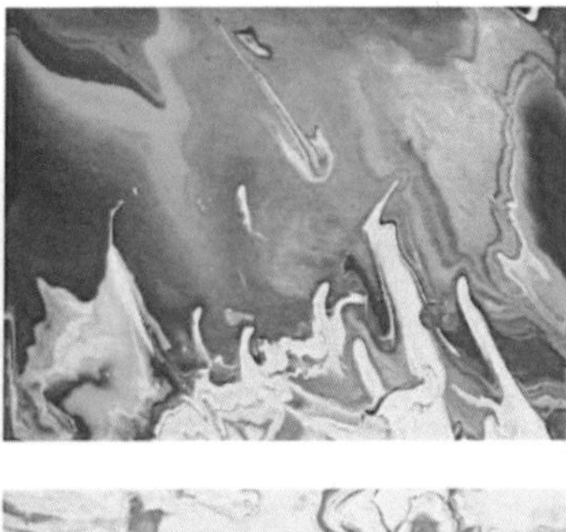

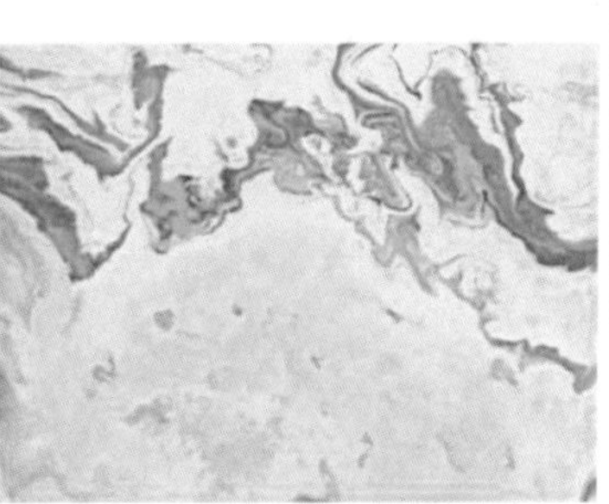

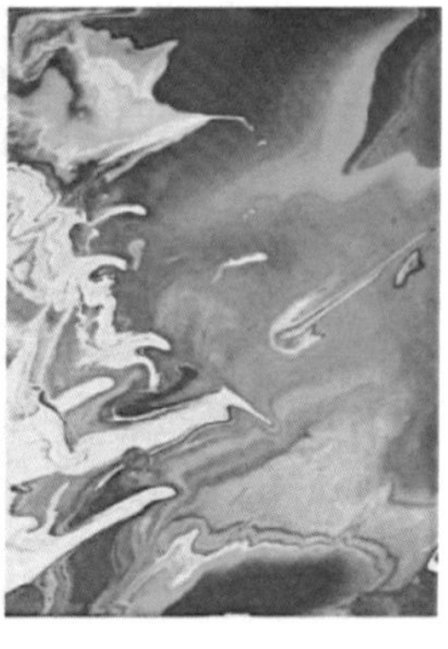

시화전

Small Actions
Can Make
the World
More Sustainable
Earth Day
지구는 괜찮아, 우리가 문제지

글감 시화전
BEAUTIFUL
작은도서관에서 시작된 엄마들의 이야기
우리들의 글감
김현정 백순주 유진희 허매란 후지타마이 황인숙 공저
유진희 편집엮음
맘 꽃 피다
BOOKK

꽃길을 걸어
너를 만나면
안아주고 싶다
풍성한
가을

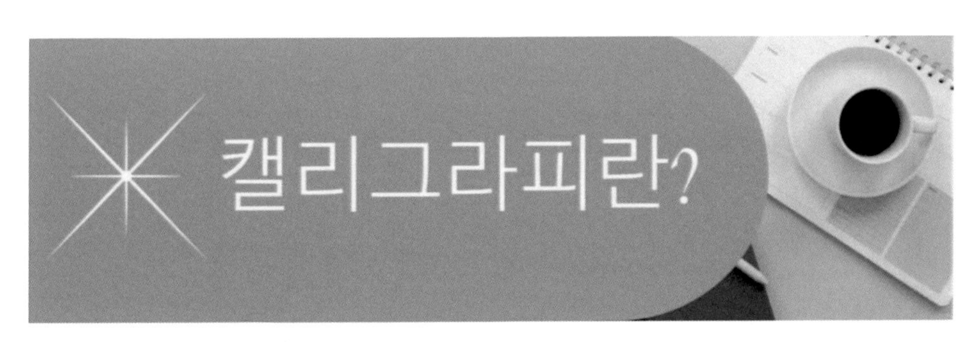

캘리그라피란?

캘리그라피는 다양한 필기 도구, 예를 들어 펜, 붓 또는 다른 도구를 숙련되게 사용하여 아름답고 우아한 글자와 문자를 만들어내는 시각 예술 형식입니다.
캘리그라피는 정확하고 예술적인 글씨와 간격, 선 두께 및 리듬과 같은 세부 사항에 중점을 두는 것으로 특징 지어집니다.

"캘리그라피"라는 단어의 어원은 그리스어에서 비롯되었습니다. "캘리" (kallos)는 "아름다운"을 나타내고, "그라피" (graphē)는 "쓰기" 또는 "글쓰기"를 의미합니다. 따라서 "캘리그라피"는 "아름다운 글쓰기"나 "아름다운 문자"를 의미하는 단어입니다. 이 용어는 고대 그리스에서부터 아름다운 글쓰기를 가리키는 미술 및 기술로서의 글쓰기를 설명하는 데 사용되었습니다. 이후에는 다양한 문화와 서체 스타일에서 아름다운 글쓰기를 표현하는 데 사용되었습니다.

사랑해

고맙습니다

thank you

선물같은 하루

수고했어 오늘도!

Hello!

항상 널 응원할게

온 마음 다해 나를 사랑하자

선연습

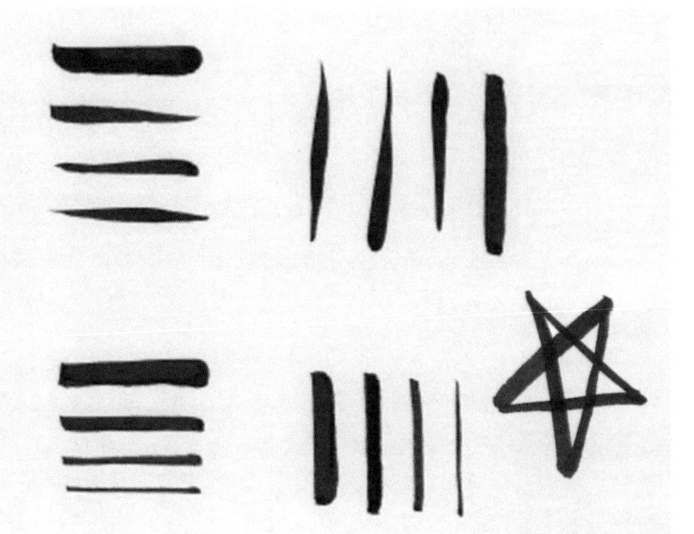

필압연습

여러가지 자음과 모음

ㄱ ㄱ ㄱ ㄱ ㄱ
ㄴ ㄴ ㄴ ㄴ ㄴ
ㄷ ㄷ ㄷ ㄷ ㄷ
ㄹ ㄹ ㄹ ㄹ ㄹ
ㅁ ㅁ ㅁ ㅁ ㅁ
ㅂ ㅂ ㅂ ㅂ ㅂ
ㅅ ㅅ ㅅ ㅅ ㅅ
ㅈ ㅈ ㅈ ㅈ ㅈ
ㅊ ㅊ ㅊ ㅊ ㅊ
ㅋ ㅋ ㅋ ㅋ ㅋ
ㅌ ㅌ ㅌ ㅌ ㅌ
ㅍ ㅍ ㅍ ㅍ ㅍ
ㅎ ㅎ ㅎ ㅎ ㅎ

ㅏ ㅏ ㅏ ㅏ
ㅓ ㅓ ㅓ ㅓ
ㅕ ㅕ ㅕ ㅕ
ㅗ ㅗ ㅗ ㅗ
ㅛ ㅛ ㅛ ㅛ
ㅜ ㅜ ㅜ ㅜ
ㅠ ㅠ ㅠ ㅠ
ㅔ ㅔ ㅔ ㅔ
ㅐ ㅐ ㅐ ㅐ ㅐ

의성어, 의태어

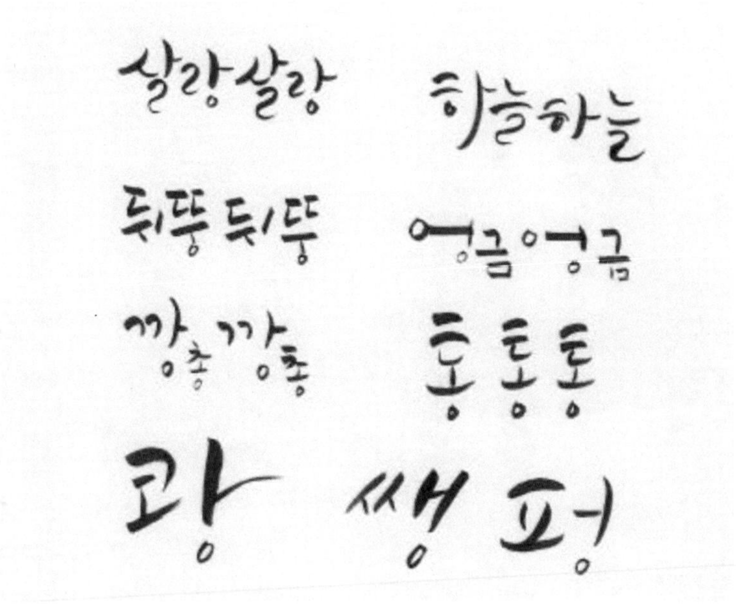

살랑살랑 하늘하늘

뒤뚱뒤뚱 엉금엉금

깡총깡총 통통통

쾅 쌩 펑

이미지 캘리그라피

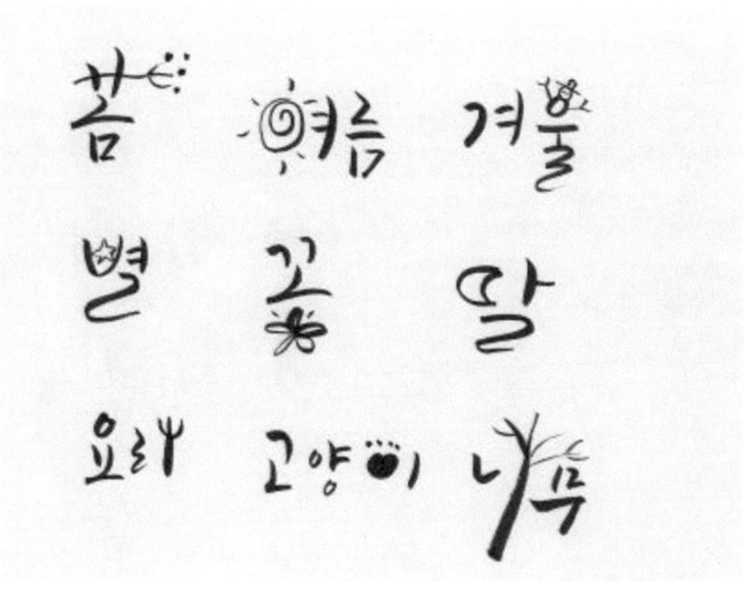

봄 여름 겨울

별 꽃 달

요리 고양이 나무

- 마무리하며 -

우리는 작은 도서관에서 시작된 독서 동아리이자, 캘리 동아리이다.
결성됨과 동시에 고정순 작가님의 전시를 부랴부랴 준비했던 글감 동아리였다.
큰 문젯거리 없이 우린 뭐든 재미있게 즐겁게 쓰고 그려내기 위해 만났다.
덕분에 즐거운 시간이었다.

이렇게 기록들을 하나씩 끝내고 나면 이 과정이 참으로 힘들지만 그 시간들이 한꺼번에 내 안으로 밀물처럼 밀려든다. 동영상을 만들어낼 때도 그랬고, 이 문집을 끝내는 지금 역시 그렇다. 며칠밤을 샜는지 모르겠다. 다시는 하지 않겠다 마음먹으면서 정리의 말을 쓰는 지금은 다 용서하는 마음으로, 우리들의 웃는 얼굴들을 보며 마무리한다. 해맑게 웃으면 뭐, 다 같이 전시할 때 혼자 전시품을 걸지 못했던 것이 참으로 속상했다. 그것이 내가 모자를 눌러썼던 이유였다. 과다 업무로, 참여할 수가 없었던 속상함에 모자를 눌러쓸 수 밖에 없었던 이유. 함께 하지 못해서 너무나 미안했고, 같이 웃고 있지 못해서 너무 속상했다. 그래도 우리가 함께 문집을 마무리 할 수 있어서 정말 다행이라고 생각한다.

모두 고생했고, 수고했어요.

모두가 모두에게 스승이었고, 가르치며 배우고, 성장했고 즐거웠어요.

- 우리모두 함께 빛날지니 -
내 이름 너무 탐내지 말아요

글감
세상의 맘들이여. 마음껏 활짝 피어나라.
Mother Flower